L'AUTEUR

David Chilton est président d'un
sultants qui dispense des cours
fication financière dans le cadre ae seminaires
parrainés par les employeurs. En dosant subti-
lement bon sens et humour, l'auteur est parvenu à
convaincre des centaines de milliers de personnes
que la planification financière est un jeu d'enfant.
Il est fréquemment invité à des émissions de télévision et de radio. Il réside à Kitchener, en Ontario,
avec sa famille et son chien prodige, Charley.

UN BARBIER RICHE

UN BARBIER RICHE

LE BON SENS APPLIQUÉ À LA PLANIFICATION FINANCIÈRE

DAVID CHILTON

Éditions du Trécarré

L'édition originale de cet ouvrage a paru en anglais, chez Stoddart Publishing Co. Limited, sous le titre : *The Wealthy Barber*.

© David Barr Chilton 1989

Traduction :
   Lise Pepin et Carole Moffet

Typographie et mise en pages :
   Ateliers de typographie Collette inc.

Couverture :
   Dufour et fille Design

ISBN– 2-89249-433-8

Dépôt légal – 1er trimestre 1993
Bibliothèque nationale du Québec

Imprimé au Canada

Éditions du Trécarré

Saint-Laurent (Québec) Canada

À Susan

TABLE DES MATIÈRES

PRÉFACE

Les conseils les plus judicieux en matière de planification financière ne sont d'aucune utilité s'ils demeurent incompréhensibles et ne répondent pas aux questions et aux préoccupations immédiates du grand public. Inversement, les théories économiques les plus limpides risquent de tomber à plat si on ne les exprime pas de façon vivante et amusante, dans un style qui ravive l'intérêt du lecteur. Alors, comment traiter de la planification financière en termes à la fois intelligibles et divertissants ? Je me permets de croire qu'*Un barbier riche* a résolu ce problème.

Un barbier riche fait fi de la vision classique de la finance : diagrammes, graphiques et chiffres ; au contraire, il tente de renseigner le profane tout en faisant place à l'humour. En suivant les conversations entre le barbier Armand Meilleur, notre expert en finances, et les clients de son salon, vous apprendrez que la planification financière est non seulement plus simple à réussir que vous ne le pensiez, mais que c'est également une activité très excitante.

Bonne lecture et bonne planification !

David Chilton

1

LES FINANCES ?
CONNAIS PAS !

J'aime le mois d'avril. Je ne le changerais pas pour deux autres mois quels qu'ils soient. Sauf, peut-être, pour deux mois d'octobre. Parce que deux mois d'octobre, ça voudrait dire pour moi deux fois plus de cadeaux d'anniversaire et deux congés pour la fête de l'Action de grâces! Pourquoi avril? Côté météo, ce n'est ni le meilleur de l'été, ni le meilleur de l'hiver. Ce n'est certes pas non plus aussi beau que l'automne. Serais-je comme les poètes et les romantiques pour qui avril symbolise un renouveau, une sorte de renaissance? Non.

J'aime le mois d'avril pour trois raisons : a) les éliminatoires de la NBA (la National Basketball Association); b) les éliminatoires de la Ligue nationale de hockey; c) et le plus important, l'essence même de la vie, la nouvelle saison de baseball. Ah, avril! Le paradis sur terre!

Grâce à ma télécommande, je peux, en restant assis sans bouger, regarder tour à tour la NBA au RDS et la LNH à Radio-Canada, pendant que j'écoute à CKAC les Expos commencer leur marche vers le championnat. Si vous ajoutez un deuxième téléviseur et un magnétoscope, les possibilités sont illimitées.

En plus d'être l'heure de gloire du sport professionnel, avril marque le début de la saison de golf et
le retour d'une nouvelle religion : la balle-lente.
Inutile de dire que ma femme Nadia n'aime pas
avril autant que moi, bien que ce soit un de ses mois
favoris. C'est une bonne joueuse de tennis et quand
avril revient, elle peut enfin frapper son premier coup
de raquette en six mois. Elle aime aussi consacrer
beaucoup de temps à notre jardin. « Notre », c'est
beaucoup dire.
Étonnamment, Nadia aime la saison de balle-lente
autant que moi sinon plus. Les treize gars sur notre
équipe ont entre 28 et 32 ans, je suis le plus jeune ;
sept sont mariés et trois ont des enfants. Les tour-
nois, les barbecues, les petites fêtes autour de la
piscine et les soirées chez notre commanditaire, un
bar très couru de Bromont, constituent les grands
moments de l'été. Toutes les femmes et les petites
amies s'entendent très bien. Elles s'entendent tellement bien qu'elles semblent tenir un concours pour
connaître laquelle portera le moins d'attention à la
partie. À coup sûr, à la fin de la partie, leur première
question est : « Qui a gagné ? »
Cette année, le mois d'avril n'est pas comme tous
les autres. Nadia est enceinte, ou comme elle dit :
« nous » sommes enceints. S'il est vrai que nous
sommes tous les deux enceints, eh bien ma grossesse
est moins difficile que la sienne ; je suis rarement
fatigué et je n'ai pas pris un kilo au cours des cinq
premiers mois.
Sans blague, la grossesse de Nadia se déroule bien.
C'est une très belle femme qui se soucie de son appa-
rence et qui s'est gardée en bonne forme physique.
Pas question d'être fatiguée, elle est beaucoup trop
excitée. Je suis sûr que toutes les femmes se sentent
comme ça lorsqu'elles attendent un enfant, surtout
un premier. Mais Nadia est dans une classe à part.
Une semaine après que le docteur eut confirmé sa

grossesse, elle avait déjà meublé et décoré la chambre du bébé. Nous avons aussi acheté une encyclopédie. On ne sait jamais quand l'enfant sentira le besoin de se référer à une sommité autre que ses parents. Notre décision d'avoir des enfants a été facile à prendre. Nadia et moi adorons les enfants. C'est assez drôle d'ailleurs, car nous venons tous deux d'une petite famille. Nadia est enfant unique et je n'ai qu'une sœur. À trente ans, ma sœur Jacinthe a deux ans de plus que moi, mais à cause de sa date de naissance, elle a été inscrite à l'école juste un an avant moi. À la surprise générale, j'ai sauté la quatrième année et j'ai rattrapé ma sœur. C'est une chose qu'elle n'oubliera jamais (je la lui rappelle assez souvent).

Comme je le disais, décider d'avoir des enfants a été facile. Si tout va bien, nous pensons même en avoir trois. J'avoue que dans le passé, j'avais toujours espéré que mon premier enfant serait un garçon. Mais maintenant que Nadia est enceinte, tout ce que je veux c'est que l'enfant soit en bonne santé. Il y a une chose sur laquelle les deux familles s'entendent, par contre : peu importe son sexe, ce serait bien que le bébé ressemble à Nadia. Ou en tout cas qu'il ne me ressemble pas trop !

La réaction des quatre futurs grands-parents, qui en étaient tous à une première expérience, a été sans doute la grande surprise de cette grossesse. Ils sont tellement enthousiasmés qu'ils téléphonent à tous les deux jours pour s'informer de la santé de Nadia, s'assurer que je m'acquitte de mes tâches ménagères et voir si je m'occupe bien d'elle. Que ses parents à elle mettent en doute mes talents de bon mari ne m'ennuie pas tant, mais mes propres parents sont encore pires ! Mon père dit que ma mère s'est évanouie lorsque Nadia lui a appris que j'avais lavé les tapis. Le pire, c'est que c'est peut-être vrai.

3

Le partage des tâches ménagères a été une expérience enrichissante à défaut d'être une expérience agréable. Maintenant, je sais d'où vient l'expression « le travail d'une femme n'est jamais terminé ». Ma femme, par exemple, travaille de 9 à 5 comme agent de voyage, rentre à la maison, prépare le souper, met une brassée dans la laveuse et fait ses exercices. Je comprends à présent pourquoi elle va toujours se coucher à dix heures et demie.

Moi-même, je m'endors à neuf heures depuis que j'ai accepté à contrecœur de partager les tâches.

Je ne peux pas défendre le mépris que j'avais pour les tâches ménagères. Et je n'ai pas à le faire. C'est la faute de ma mère. Mariée à un directeur d'école, elle n'a jamais eu de travail rémunéré, comme la plupart de ses contemporaines. Papa ramenait le bacon et maman le faisait cuire. Pendant que papa était au travail, maman faisait tout le ménage et elle avait donc ses soirées libres.

À mon grand plaisir, on exigeait très peu de moi. Pendant que les autres enfants tondaient la pelouse ou pelletaient la neige, je m'amusais à lancer une balle ou à jouer au hockey dans la rue. Je ne sais trop pourquoi mes parents ont été si conciliants avec moi, mais je l'ai toujours apprécié.

Au contraire, les parents de Nadia, qui refusaient le stéréotype de l'enfant unique gâtée, lui ont inculqué la valeur du travail. (Et ça, je l'apprécie encore plus !) Lorsque nous nous sommes mariés, elle savait déjà faire les travaux ménagers et les repas. Cependant, il y a un monde entre avoir l'habitude et aimer faire quelque chose. Maintenant que j'ai compris quelle corvée représentait l'entretien d'une maison, je suis déterminé à changer et à m'améliorer.

Les gars de l'équipe de balle-lente ont commencé à parier sur le temps que durera le « nouveau moi amélioré ». Notre lanceur m'a dit que le plus long pari est de 4 mois (jusqu'au lendemain de l'accouchement). Le plus court pari est de trois semaines, c'est celui de ma femme. La confiance règne...

Comme si ce n'était pas assez d'avoir à supporter ça des gars de l'équipe deux soirs par semaine, le prochain week-end je devrai subir les sarcasmes des futurs grands-parents. Le troisième week-end de chaque mois, Nadia et moi allons toujours à Bromont.

Mais nous ne sommes pas à plaindre, je vous assure. Nous y allons de plein gré. Tous les deux nous sommes nés et nous avons grandi à Bromont. Oui, c'est une ville de plus en plus industrielle. Mais ce n'est pas la ville grisâtre que les non Bromontois imaginent, alors là pas du tout. Durant ma jeunesse, le revenu annuel par habitant était toujours parmi les plus élevés au Québec. Et croyez-moi, la campagne a ses charmes.

J'ai l'air de prêcher pour ma paroisse ? C'est en plein ce que je fais. En termes de diversification et de croissance potentielle, Bromont ne se compare pas à Montréal où nous vivons. Mais, vous savez, il y a toujours un petit quelque chose à propos de notre ville natale, surtout quand c'est une région de sports d'hiver. C'est la fête continuelle des enfants et des adolescents.

De fait, c'est assez attirant pour les adultes aussi. Voilà pourquoi cet été, Nadia et moi allons passer cinq semaines dans une petite maison de campagne au Lac Brome.

J'enseigne depuis maintenant quatre ans et chaque été j'ai pris un cours ou j'en ai donné un. Mais cette année, à cause de la venue du bébé prévue pour le début septembre, nous avons décidé de prendre congé et de mettre le cap sur le lac.

Nadia est ravie. Le ralentissement saisonnier dans les agences de voyage lui permet de prendre comme moi juillet et août de congé chaque année. Ce n'est pas le cas pour ses amies. Alors l'été, pendant que j'étudiais, travaillais ou jouais au golf, elle a souvent été forcée de rester seule à bronzer, à peler et à lire. J'exagère un peu. C'est une femme indépendante qui a plusieurs passe-temps et de multiples intérêts. Quoi qu'il en soit, elle a bien hâte de voir ses deux meilleures amies et sa mère tous les jours, durant cinq semaines.

Au début, l'enthousiasme de Nadia dépassait largement le mien. J'ai beaucoup d'amis à Bromont, mais un seul est enseignant. Jouer un dix-huit trous chaque matin avec Denis ça va, mais avec qui jouerais-je l'après-midi?

Plus j'y pensais, plus j'aimais l'idée. Mon meilleur ami, Mathieu Tremblay, prend ses vacances de l'usine d'assemblage durant les trois dernières semaines de notre séjour. Mathieu aime jouer au golf, aller voir les Expos, s'étendre sur la plage et caler quelques bières. Suivant mes critères, c'est un gars parfait.

Lorsque Nadia et moi allons à Bromont pour le week-end, nous suivons presque toujours la même routine : nous arrivons le vendredi soir vers huit heures et demie ; nous allons directement chez mes parents pour souper ; puis, vers dix heures et demie, nous allons rejoindre quelques amis.

Le samedi Nadia disparaît, mais elle ne fait pas ça seulement à Bromont. Depuis quatre ans que nous sommes mariés, je ne l'ai vue qu'une douzaine de fois le samedi après-midi. (Et toujours à l'occasion d'un mariage.) Je ne sais pas où elle va mais ce doit être dans un endroit magique, car invariablement quand elle en revient ses souliers ont changé de couleur!

Lorsqu'elle a disparu, envolée avec notre pécule, je passe la journée avec Mathieu. Nous rencontrons ma sœur Jacinthe pour le petit déjeuner au restaurant La Boustifaille à neuf heures pile. Selon ce que nous avons fait le vendredi soir après avoir quitté mes parents, certains de ces petits déjeûners ne sont pas trop pénibles. Mathieu et Jacinthe ont une curieuse relation. Ils me font penser à Jean Besré et Angèle Coutu de l'émission de télévision *Jamais deux sans toi.* Ils sont toujours en train de se taquiner et de se chamailler, mais de toute évidence il y a une flamme qui couve. Comme ils ne sont pas en amour et comme ils ne sont pas laids ni l'un ni l'autre, il est surprenant que ces deux-là ne sortent pas ensemble. Mais je ne suis pas bon juge. Moi, je croyais que Sonny et Cher étaient faits pour vivre ensemble.

Après le petit déjeuner, Jacinthe retourne à son bureau pour mettre son travail à jour. C'est le portrait type de la femme qui a réussi. À sa première année de cégep, elle a conservé une moyenne de 92 %. Les universités de Montréal et de Laval lui ont offert des bourses substantielles. Elle a choisi Montréal parce que c'était plus près de Bromont et parce que sa faculté de médecine est renommée. Mes parents l'appelaient déjà Docteur Ostiguy avant même que nous ayons quitté l'école secondaire.

Toutefois, non seulement Jacinthe n'est pas devenue médecin mais elle n'a même pas terminé son cégep.

Sachant que sa bourse couvrirait la majeure partie de ses dépenses, elle ne sentait pas le besoin de trouver un travail d'été. Ainsi durant l'été suivant cette première année de cégep, tandis que je travaillais comme un esclave, ma petite sœur s'est lancée en affaires. Alliant son flair artistique à son amour de l'horticulture, elle a fondé *Les paysages Ostiguy.* Le nom de la compagnie était simple, mais le concept était génial.

Jacinthe a consacré les quatre premières semaines de l'été à passer au peigne fin les plus belles propriétés de Bromont. Lorsqu'elle en repérait une qui selon elle serait mise en valeur par un nouvel arrangement paysager, elle faisait une série de croquis visant à en améliorer l'aspect général, le «look». Puis, tout en prenant un bain de soleil sur la plage, elle faisait une aquarelle à partir des croquis. Ensuite la jeune entrepreneure encadrait l'aquarelle (avec goût, il va sans dire) et on pouvait lire au verso : «Voici comment *Les paysages Ostiguy* voient votre maison.» Enfin l'aquarelle était livrée par courrier au propriétaire. L'aquarelle et le cadre lui coûtaient environ 50 $.

En quatre semaines, elle dessina dix-sept de ces cartes d'affaires très originales. À la fin du mois, elle commença à recevoir des appels et, surprise, elle prit quinze rendez-vous.

À ce stade, je n'étais pas impressionné outre mesure. Déjà quatre semaines s'étaient écoulées, l'aventure accusait une dette de 850 $ et je devais renflouer les coffres constamment. Aux dernières nouvelles, c'était elle qui toucherait la bourse de l'université, pas son frère !

Quelques jours plus tard, je n'étais plus inquiet... j'étais affreusement jaloux !

La présentation de Jacinthe lors de ses rendez-vous était, selon le mot préféré de mes étudiants, «hallucinante». Pour un prix fixe de 1 000 $, elle se chargeait de recruter du personnel chez les paysagistes locaux, de superviser le travail et de voir à ce que les délais et les budgets soient respectés. L'aquarelle était gratis.

Grâce à son enthousiasme contagieux, à ses bonnes propositions d'affaires et à ses magnifiques dessins, Jacinthe est allée chercher six des quinze clients potentiels. Il y a onze ans, 6 000 $, c'était un revenu incroyable pour un travail d'été !

Jacinthe a passé le reste de juillet et d'août à superviser les six projets. Les clients étaient emballés. Parce que ses prix étaient restés concurrentiels et que ses travaux coûtaient beaucoup moins chers que la moyenne, ses services se payaient en quelque sorte d'eux-mêmes. Le bouche à oreille a fait le reste et Jacinthe n'a jamais regretté son choix. L'an dernier, en seulement huit mois de travail, elle a gagné plus d'argent que mon père et moi mis ensemble.

Au début, c'était difficile d'accepter que ma sœur, décrocheuse avant même d'être entrée à l'université, soit « une innovatrice et une créatrice ». Toutefois, lorsque j'ai vu de quelle façon ce succès influençait le choix de mes cadeaux de Noël et d'anniversaire, ma fierté est devenue sans borne.

Malgré sa grande réussite, Jacinthe fait encore tout elle-même le samedi : dactylographie, comptes à recevoir, comptes des fournisseurs et le reste.

Mathieu et moi ne nous en plaignons pas parce que, de toute façon, elle ne nous accompagnerait pas dans notre prochaine activité à Bromont : nous allons chez le barbier. Cette visite est un des points forts du week-end. Je sais que la plupart des gens ne voient pas une visite chez le barbier comme un fait saillant de leur week-end, mais c'est que la plupart des gens ne se font pas couper les cheveux par Armand.

Armand Meilleur a commencé à nous couper les cheveux en brosse quand nous avions cinq ans. Bien que nous ayons abandonné cette mode depuis longtemps, nous lui sommes toujours demeurés fidèles. En plus d'être un homme très intelligent et très drôle, Armand possède une qualité primordiale à nos yeux : c'est un chaud partisan des Expos de Montréal !

Comme chez la plupart des barbiers, il y a chez Armand quelques réguliers du samedi qui sont là uniquement pour passer le temps. Imaginez : deux des trois réguliers, Jacques et Hugo, sont chauves. Hugo, en particulier, se réjouit de nos visites

mensuelles. C'est aussi un grand amateur de base-
ball (si on peut l'être sans aimer les Expos). Durant la saison chaude, la deuxième chose à l'agenda, c'est le golf. Mathieu et moi aimons beau-
coup le golf. Nous jouons depuis plusieurs années et sommes d'assez bons athlètes, mais ni l'un ni l'autre n'y excelleront jamais. J'ai un handicap de 15 et celui de Mathieu fluctue entre 16 et 22, selon la personne qui le lui demande.

Les samedis soirs sont toujours différents à Bromont. Quelquefois, nous nous rassemblons tous pour une fête chez l'un d'entre nous ou pour une partie de baseball. Mais la plupart du temps, nous sommes une quinzaine qui allons « Chez Minville », un bar local à la mode avec une magnifique terrasse.

Le dimanche, Nadia et moi allons à l'église, puis nous brunchons avec ses parents que j'aime beau-
coup. Les Richard sont prospères ; ils possèdent et gèrent une compagnie d'entretien industriel. Comme tant d'autres, ils ont connu des moments difficiles au début des années 1980. Contrairement à tant d'autres, leur honnêté et leur bilan financier sans dette leur ont permis de traverser la tempête.

Ils ne sont pas riches, mais ils sont à l'aise. Ils possèdent une nouvelle maison sur le lac, un chalet, un bateau et deux belles autos. Je ne crois pas qu'ils aient beaucoup de placements, mais parce qu'ils n'ont aucune dette, qu'ils ont une bonne encaisse et une affaire vendable, ils ne semblent pas avoir de préoccupations financières.

Après le brunch du dimanche, Nadia et moi retournons à Montréal. À la sortie de Bromont, nous nous arrêtons «Aux portes du paradis ». Je ne peux toujours pas croire qu'on ait donné un nom pareil à un foyer pour personnes âgées. Le seul grand-parent qui nous reste, ma grand-mère, attend «Aux portes» depuis maintenant cinq ans. Les médecins disent que sa santé mentale est excellente, mais j'ai peur qu'ils se trompent : grand-maman a pris la fâcheuse habitude de critiquer sans cesse les Expos.

Enfin de retour à Montréal, nous avons besoin de toute la soirée du dimanche pour récupérer de notre week-end ! Le week-end prochain, notre routine mensuelle sera quelque peu perturbée. Plutôt que de sortir après le souper vendredi soir, Nadia et moi resterons chez mes parents afin que je puisse parler à mon père. Je l'ai appelé hier et je lui ai seulement dit que je voulais lui parler, je ne suis pas entré dans les détails.

Quelle erreur ! Maman a rappelé cinq minutes plus tard, hystérique.

– Nadia et le bébé vont-ils bien ? Et toi ? Est-ce que Jacinthe t'a dit quelque chose qu'elle nous aurait caché ? Est-ce...

Pour empêcher maman d'avoir un infarctus, j'ai coupé court à ses questions et je lui ai dit de quoi je voulais parler avec papa : nos finances.

Est-ce que ça a changé quelque chose ? Non. Maman a continué d'insister.

– As-tu besoin d'argent ? demanda-t-elle d'une voix aiguë. Avez-vous des problèmes ? Est-ce que c'est encore une fois ...

– Non, maman ! J'ai seulement besoin de quelques conseils de base sur la planification financière.

– Pourquoi est-ce que tu penses à ça tout à coup ? demanda-t-elle, sceptique. Qu'est-ce que tu me caches ?

En matière de finances, je n'ai rien à cacher. L'autre jour, j'ai vraiment été frappé par mon ignorance dans le domaine. Je lisais un journal d'affaires local et je suis tombé sur un article intitulé : *« Test d'auto-analyse sur la planification financière »*.

Pas de problèmes, me suis-je dit. Je suis un enseignant. Je ne rate pas les tests, je les faits rater aux étudiants. Confiant, j'ai pris mon crayon et je me suis apprêté à répondre à des questions comme celles-ci :

- Avez-vous choisi la bonne période d'amortissement de votre hypothèque ?
- Votre testament est-il à jour ?
- Advenant votre décès, les personnes à votre charge pourraient-elles vivre à l'aise ?
- Si vous prévoyez une retraite anticipée, avez-vous établi un plan d'épargne approprié ?
- Comment pensez-vous payer les études de vos enfants ?
- 50 % des Canadiens prennent leur retraite dans une situation financière précaire. Que faites-vous pour vous assurer que vous ne serez pas de ceux-là ?
- Vos dettes sont-elles structurées adéquatement ?

Non seulement je ne pouvais pas répondre à plusieurs de ces questions, mais il y en avait certaines que je ne comprenais même pas. Du coup je nous ai imaginés, Nadia, les enfants et moi, vivant comme des itinérants.

J'ai laissé tombé mon crayon, déconcerté. Ce n'est pas que je veuille devenir multimillionnaire. Ça ne me déplairait pas, bien sûr, mais je me contenterais d'être à l'aise ... très à l'aise. J'aimerais avoir une belle maison, un chalet, pouvoir payer les études de mes enfants et me retrouver relativement riche au moment de ma retraite, à un âge raisonnable. Et tout ça, sans changer radicalement mon niveau de vie actuel.

Je crois que la plupart des Canadiens partagent ce point de vue. Sont-ils réalistes ? Peut-on y parvenir en gagnant un salaire moyen ? Si oui, comment ?

Moins d'une heure après avoir lu cet article, je voulais en connaître plus sur les bases de la planification financière. Je n'étais pas intéressé à comprendre les rouages de la Bourse ni à réciter des tableaux d'hypothèque par cœur.

Tout ce que je voulais savoir, c'était la meilleure voie à emprunter pour parvenir à mes buts à partir de ma situation présente.

Certes, mon père n'est pas un financier de génie, mais il doit sûrement avoir appris quelque chose en cinquante-huit ans. À tout le moins, ce serait un point de départ.

|2|
UNE DRÔLE
DE SUGGESTION

Ce week-end d'avril à Bromont a changé ma vie.

*****

L'odeur du cigare de mon père, la voix des commentateurs sportifs à la radio et les discussions sur les façons d'épargner (plutôt que sur les façons de dépenser) ne font pas partie des sujets favoris de Nadia. Tout ça d'un coup, c'était trop pour elle. Prétextant la fatigue, elle s'est retirée très tôt ce vendredi soir. Maman nous a aussi quittés, non pas pour aller au lit mais pour s'attaquer aux comptes du mois.

Papa et moi nous sommes assis et avons parlé d'un sujet que nous n'avions jamais abordé en vingt-huit ans. De nos jours où toutes les conversations sont permises, y compris celles touchant la sexualité, l'argent demeure un sujet relativement tabou, même entre parents. Quand on y pense, c'est assez bizarre !

   – C'est étonnant qu'on n'ait jamais parlé d'argent avant, dis-je.

   – Même si nous en avions parlé, je n'aurais pas eu grand-chose à te dire, répliqua papa. Jusqu'à il y a cinq ans, je ne connaissais rien aux finances. Ta mère et moi avons toujours vécu d'une paye à l'autre en remboursant notre hypothèque, en évitant les dettes et quelquefois en épargnant pour les choses que nous voulions. Tout ce que tes grands-parents nous avaient dit, c'était de ne pas emprunter. Nous ne pouvions pas t'apprendre ce que nous ne savions pas. Et c'était la même chose pour tes grands-parents. Je ne pense pas que ce soit une tare familiale. La plupart des gens ont le même problème et c'est en partie la faute de notre système d'enseignement.

Il y a cinq ans, quand j'ai appris les bases de la planification financière, j'ai été surpris de voir comment c'était simple. C'est juste une question de bon sens. Si je m'étais intéressé à ces principes il y a trente ans, même quinze ans, ta mère et moi serions très à l'aise aujourd'hui.

– Et je t'aimerais encore plus ! Mais, papa, pour quelqu'un qui n'avait pas trop de connaissances, je trouve que tu t'en es bien tiré.

– Bien, répondit-il, mais pas plus. Et le plus frustrant, c'est que ça aurait été très facile de faire mieux. Je ne comprends pas pourquoi le gouvernement n'a toujours pas intégré de cours de planification financière familiale au programme scolaire. Chaque finissant du secondaire devrait au moins savoir remplir sa déclaration d'impôt, choisir son hypothèque, payer les études de ses enfants, épargner et planifier sa retraite.

Tu me connais, Éric. J'ai toujours dit que notre système d'éducation était excellent, mais ça ne veut pas dire qu'il ne peut pas être amélioré. Naturellement, un des meilleurs changements à apporter serait d'enseigner les techniques de base de la gestion financière. Diable ! nous élevons, génération après génération, des ignorants dans le domaine financier. Les politiciens ne comprennent pas les avantages que l'économie nationale en retirerait, si tout le monde savait gérer son argent correctement.

– Papa, pourquoi as-tu...

– C'est incroyable qu'Alou garde Dennis Martinez
dans la partie, interrompit-il.

Tandis que papa quittait la pièce pour faire sortir
le chien, j'ai vu qu'il avait bien raison : Alou aurait
dû retirer Martinez de la partie. Papa avait aussi raison quand il disait que la
plupart des Canadiens étaient ignorants en matière
d'argent. Il n'y a pas de raison valable qui justifie
notre piètre connaissance des finances. Quand
quelqu'un ne peut pas répondre à un test élémentaire
sur les finances, il y a quelque chose qui ne va pas,
non ? Papa avait aussi raison lorsqu'il en imputait
la faute à notre système d'éducation. Je n'y avais
jamais pensé de cette façon. J'enseigne l'histoire et
la géographie mais je l'admets : savoir que la guerre
de Cent Ans a duré de 1337 à 1453 a très peu d'importance dans la vie si on est par ailleurs incapable
d'établir un plan d'épargne. Ces deux champs de
connaissances sont importants, donc on devrait
trouver un juste milieu.

Papa est revenu au moment où El Presidente
finissait le match avec un retrait sur trois prises.

– Ciel, quel merveilleux lanceur, un excellent
joueur, lanca-t-il. Belle victoire, belle victoire.

– Mais comment as-tu fait pour t'en sortir aussi
bien sans aucune connaissance ? demandai-je.

– Je ne suis pas certain d'aimer le ton de ta
question, répondit papa en riant. J'avais d'assez bons
salaires et nous n'avons jamais commis d'extravagances. Dieu sait que vous n'avez jamais manqué
de rien, mais nous n'avions absolument aucun
placement. Souvent nous n'avions que deux cents
dollars en banque.

Notre seule règle stricte était de ne pas emprunter.
Si nous voulions acheter une nouvelle voiture, aller
en voyage ou réparer le toit de la maison, nous
ramassions l'argent d'abord. Si nous n'avions rien
de spécial au programme, nous dépensions tout.

Pour ainsi dire, c'était ça notre planification financière.

– Mais tu as emprunté pour acheter la maison, non?

– Naturellement, nous avons dû emprunter pour acheter la maison, répondit papa. La société de fiducie nous a accordé une hypothèque amortie sur 25 ans que nous avons fini de rembourser il y a cinq ans. Il y a cinq ans, il s'est produit beaucoup de choses : nous avons fini de rembourser l'hypothèque ; tu as eu ton bac et tu es devenu autonome (sauf quand vient le temps de faire ton lit et de faire la cuisine) ; notre revenu s'est accru de façon significative avec la vente de mes livres ; et puis ton oncle est mort en laissant 25 000 $ à ta mère.

– Je ne savais pas ça ! m'exclamai-je.

– Tu es venu à l'enterrement, non? dit papa en riant.

– Non! Je sais bien qu'oncle Arthur est mort. Je ne savais pas qu'il avait laissé 25 000 $ à maman.

– Nous voulions te faire une surprise en plus de te laisser la maison. Tu sais, un petit quelque chose pour t'aider à surmonter la perte des deux personnes les plus importantes dans ta vie.

– Oui, oui, dis-je en branlant de la tête.

– Quand toutes ces choses sont arrivées coup sur coup, il est devenu évident que j'avais besoin de conseils financiers. À l'époque, nous avions environ deux mille dollars par mois de surplus et nous avions 27 000 $ à la banque. De plus, je n'étais qu'à dix ans de ma retraite. Ta mère et moi avons jugé qu'il était temps de consulter un professionnel.

Je ne voulais pas faire d'erreur. Je savais qu'avec mon régime de retraite, mes vieux jours s'annonçaient bien. Mais je savais aussi que si je plaçais bien cet héritage et notre surplus d'argent mensuel, ta mère et moi pourrions penser à acheter un chalet ou un bateau ou faire des voyages ou peut-être même à faire tout ça. Nous avions toujours rêvé d'une petite maison sur le lac, c'était notre chance.

– Alors qu'est-ce que tu as fait ? Quelque chose d'intelligent, j'espère ? N'oublie pas que tout ça pourrait m'appartenir un jour.

– Et ta sœur ? Elle n'a pas droit à sa part ?

– Jackie Onassis ? Voyons, papa, c'est de l'argent de poche pour elle. Alors qu'est-ce que tu as fait ?

– J'ai eu la coupe de cheveux de ma vie, répondit-il sans rire.

– Sois sérieux, papa.

– Mais je suis tout ce qu'il y a de plus sérieux. J'étais chez le barbier et je parlais à Jean Louis. Tu sais, il est toujours là le samedi avec Hugo et Jacques ?

– Oui, je le connais très bien.

– Eh bien ! Ce que tu ne sais probablement pas, c'est qu'avant de devenir un agent immobilier prospère, il a travaillé quelque temps comme courtier en valeurs mobilières et comme agent d'assurances. Je lui ai dit que je cherchais des conseils en planification financière et je lui ai demandé s'il avait quelqu'un à me suggérer. Il n'était plus dans le domaine depuis dix ans, mais j'étais sûr qu'il connaissait encore des personnes compétentes. Alors il m'a souri en disant : « Justement, le meilleur conseiller financier en ville tient un rasoir sur ta gorge. »

– Voyons, papa ! dis-je, incrédule.

– Je ne blague pas, et Jean non plus ne blaguait pas. Au cours des mois qui suivirent, tout en me coupant les cheveux, Armand m'a enseigné les principes de base d'une saine planification financière. Et tu seras content d'apprendre que mes finances se portent à merveille et s'améliorent de jour en jour.

– Tu as raison. Je suis content de l'apprendre. Mais comment un barbier devient-il expert en planification financière ?

– La réponse à cette question est intéressante, toute l'histoire d'Armand est très intéressante. Comme tu sais, nous étions des camarades de classe au collège. Armand était l'étudiant parfait. Tu sais ce que je veux dire : beau, athlétique, intelligent, drôle. Tout le monde l'aimait. C'est même lui qu'on a choisi pour prononcer le discours d'adieu. Il était promis à un bel avenir. Il voulait devenir avocat. Un bon candidat pour l'université de Montréal...

– Il y a d'autres universités, papa, dis-je.

– Seulement dans ta tête, mon gars. De toute façon, Armand et moi étions dans la même résidence à l'université. Mais je ne le voyais pas souvent ; entre ses études, son basketball et ses visites à sa petite amie, il ne lui restait plus de temps libre.

En deuxième année, cinq d'entre nous, y compris Armand, avons décidé de louer une maison. Le premier mois, ç'a été la fête. Tu sais ce que c'est ; la session est jeune, donc tu t'amuses tous les soirs. (Tu te rappelles toutes les choses que je t'ai dit de ne pas faire à l'université ? Eh bien, c'était l'expérience qui parlait.) Puis un soir, au début d'octobre, Armand a reçu un coup de téléphone. Son père venait de mourir d'une crise cardiaque. L'après-midi suivant, il abandonnait ses études et retournait à Bromont.

Son père souffrait de malaises cardiaques depuis longtemps. Il travaillait dans une usine depuis seulement dix ans quand il a eu sa première crise cardiaque. À ce moment-la, les médecins lui avaient dit de ne plus faire un travail aussi physique. Malheureusement, c'était le seul emploi qu'il pouvait occuper à l'usine. Tout à son honneur, il n'a pas abandonné ; au contraire, il a pris des cours pour devenir barbier et puis un beau jour il a ouvert son salon : **Meilleur, salon de barbier**.

Madame Meilleur était femme de ménage le jour et serveuse le soir. Ni l'un ni l'autre ne gagnait beaucoup d'argent, mais leurs salaires réunis leur suffisaient.

À la mort de son père, Armand n'a pas eu le choix : il a dû quitter l'université et se mettre à travailler. C'était impossible que madame Meilleur et sa fille Hélène puissent survivre avec un maigre salaire de femme de ménage. Et, comme bien d'autres, monsieur Meilleur n'avait pas souscrit une police d'assurance-vie adéquate.

Déjà au collège, Armand lui-même était assez bon barbier. Il avait appris les rudiments du métier en se tenant au salon de son père. Lorsque son père était vraiment débordé, il faisait sa part en coupant les cheveux. Aussi, durant sa première année d'université, il coupait les cheveux à la résidence pour arrondir ses fins de mois.

Quand il a dû quitter l'université, sa stratégie était claire : il reprendrait le salon jusqu'à ce qu'Hélène ait terminé l'université, puis il vendrait le salon et retournerait aux études. À l'époque, sa sœur était encore au collège, donc il en avait pour environ six ans.

Nous avions tous de la peine pour Armand qui devait remettre à plus tard son rêve de devenir avocat, mais dans le fond nous savions qu'il avait fait le bon choix. Il faut être là pour ses parents, même quand ça entraîne des sacrifices personnels. Tu ferais bien de te rappeler ça, mon gars, quand ta mère et moi voudrons venir vivre nos vieux jours avec toi.

– Non ! Ne faites pas ça ! dis-je en feignant l'horreur. Tu ne m'as toujours pas dit comment Armand est devenu expert en planification financière. J'espère que ce ne sera pas encore une de tes histoires à n'en plus finir ?

– Non, non, j'y arrive. Armand a accompli un travail de gestion formidable. Il a fait des choses qui, pour l'époque, étaient avant-gardistes. Son idée la

21

plus innovatrice et la plus rentable a été le **salon roulant**. À part le sport, il avait toujours eu deux passe-temps : le premier, c'était de courir les encans, et le deuxième, c'était de bricoler les vieilles voitures et les camions. Durant sa deuxième année de travail, il a su marier ces deux passe-temps de façon remarquable. Il a acheté une chaise de barbier dans un encan et il l'a rivetée dans la boîte d'un vieux camion de déménagement. Ensuite, il a installé un évier avec l'eau courante, une génératrice et même un présentoir à magazines. Le mardi, il se rendait à l'usine avec le camion ; il n'avait qu'à ouvrir la porte coulissante à l'arrière et hop ! il était prêt à donner son premier coup de ciseaux. Les travailleurs arrivaient en masse durant la pause-café et à l'heure du lunch. C'était tellement pratique. En fait, ce qui était une journée creuse pour les autres barbiers devenait la journée la plus rentable pour Armand. À tel point qu'il a engagé un autre coiffeur pour y retourner le mercredi et le jeudi. Au bout d'un certain temps, un nouveau règlement municipal est venu mettre un terme au pique-nique. Mais durant les quatre ou cinq ans qu'a opéré le salon roulant, Armand s'est fait un nom et, encore plus important, il s'est bâti une clientèle fidèle.

Il ne faisait pas le revenu d'un brillant avocat, mais il se débrouillait bien, très bien même... Nous n'avons jamais discuté de nos salaires, mais je dirais qu'au fil des ans nos revenus ont été très semblables.

– Qu'est-il arrivé après les six ans prévus ? demandai-je.

– Armand aimait son métier, c'est simple. D'ailleurs, il aime toujours travailler au centre-ville, parler avec les gens, avoir sa propre affaire. C'est drôle, mais il a eu le brillant avenir qu'on lui promettait à l'université. Je ne connais personne de plus prospère que lui.

– Et la planification financière, papa ? Il faut que je retourne à la maison dimanche, tu sais.

– J'y arrive, j'y arrive. Armand avait été vraiment très ébranlé par la situation financière précaire dans laquelle sa mère s'était retrouvée. Son père n'avait pas de régime de retraite, pas d'épargne, et son assurance-vie était minime. Il en rit maintenant en disant que tout ce que son père avait laissé, c'était une hypothèque. Mais à l'époque la situation était loin d'être drôle. Il s'était juré qu'il ne ferait pas la même erreur. Pourtant, après deux ans au salon et avec un bon revenu, il n'avait amassé rien de concret. Certes, sa mère et sa sœur ne manquaient de rien, mais sa situation financière n'était pas plus reluisante.

Armand décida qu'il était temps de passer à l'action. Il a donc commençé à lire tout ce qu'il pouvait trouver sur la planification financière. À cette époque, presque tous les livres sur le sujet expliquaient les divers choix de placement, mais ne parlaient pas des choses d'un intérêt plus général comme l'épargne, l'achat d'une maison et l'assurance. La littérature expliquait comment placer de l'argent, pas comment en faire.

Son père lui avait toujours dit : pour apprendre à faire une chose, observe quelqu'un qui la fait bien. Si c'était vrai pour les sports, ça devait l'être aussi pour le reste, y compris la planification financière.

Donc, à 23 ans, Armand a fait ce qu'il dit être la chose la plus intelligente de sa vie : il a rendu visite à Maurice Desmarais. Ce bon vieux monsieur Desmarais était l'homme le plus riche en ville. Il possédait une bijouterie, une ferme immense, plusieurs chevaux de course et la moitié des édifices du centre-ville, dont celui où était situé le salon d'Armand.

Monsieur Desmarais avait toujours aimé Armand. Il admirait sa loyauté envers sa famille et il était très impressionné par son approche dynamique des affaires. Lorsque Armand lui eut expliqué la raison qui l'amenait, monsieur Desmarais inclina la tête et lui dit : « Tu es au bon endroit, mon garçon. En une heure, je vais t'apprendre la **règle d'or** du succès financier. »

Eh bien, Éric, ç'a été toute une heure. Il n'y a pas beaucoup de barbiers partis de rien qui possèdent une magnifique maison sur le lac, un imposant portefeuille de placements, un édifice à bureaux et une retraite bien assurée.

– Et tout ça grâce à un seul secret ? Quel secret ? demandai-je avidement.

– Minute, minute, ce n'est pas si simple. Depuis, Armand n'a jamais cessé de lire et de s'informer sur la planification financière. Nul doute que ses connaisances du domaine de l'assurance, des REÉR et des placements l'ont aussi beaucoup aidé, mais il est certain que cette heure a été le tournant. Je ne t'en dis pas plus. Tu verras toi-même qu'Armand est le meilleur professeur de planification financière qui soit. Il se fera un plaisir de te faire part de ses connaisances. En fait, je lui ai déjà dit que, demain, vous ne parleriez pas seulement des Expos.

– Je ne suis pas certain de pouvoir le suivre, répondis-je, inquiet. Je ne connais rien au jargon et tu te rappelles que les mathématiques n'étaient pas mon fort à l'école.

– Je te l'ai déjà dit, mon gars : c'est juste une question de bon sens. Tu vas être surpris d'apprendre comme il est facile de bien gérer ses finances personnelles. Si tu suis les conseils d'Armand, tu n'auras jamais de préoccupations financières. Tu vas être tellement riche que tu vas pouvoir faire construire une maison à Montréal pour tes parents !

– Après tout, je ne suis plus certain de vouloir devenir riche, dis-je en lui donnant une tape amicale sur l'épaule.

***

– Ciel, comme tu es bronzée, Jacinthe! dis-je durant le petit déjeuner. Nous sommes seulement en avril et tu es déjà noire.

– Passes-tu ton temps au studio de bronzage? demanda Mathieu. Ça coûte cher! Au fait, c'est combien, la séance?

– Mais non, je ne vais pas dans les studios de bronzage. J'ai acheté ma propre machine à bronzer, répondit-elle un peu gênée.

– C'est beau! Moi, je me tue à l'usine toute la journée pour joindre les deux bouts et toi, tu t'achètes une plage électrique! Si tu travaillais juste un peu ta personnalité, je te demanderais en mariage.

– Et si une des filles à qui tu as posé la question hier soir au bar te disait oui? Tu sais, Mathieu, la bigamie, c'est illégal.

– Oh, Mathieu! dis-je. Tu abordes encore les filles de cette façon? Qu'est-il advenu de la formule : « Pardon, mademoiselle, je peux vous offrir une Porsche? »

– Hé! Pour rencontrer des femmes, il faut ce qu'il faut. À part ça, la Porsche m'a assez bien servi jusqu'ici.

– Eh bien, je pense que la Porsche est en panne sèche, taquina Jacinthe.

– Sœurette, as-tu vraiment acheté une machine à bronzer?

– Ouais, j'avais un petit peu d'argent, et j'aime être bronzée. Et puis, ce n'est pas si cher.

– Non, je te crois, fis-je sarcastique. Qu'est-ce que tu fais avec tout ton argent? La moitié de Bromont doit t'appartenir à présent.

– Loin de là. Avec mes versements sur la voiture, l'hypothèque, les frais de condo, les cartes de crédit et les dépenses courantes, il ne me reste presque rien.

25

– La vie est dure, ma chouette, soupira Mathieu. Tu devrais demander une aide gouvernementale. Le PAMCI ou quelque chose comme ça : Programme d'Aide pour les Millionnaires Célibataires Indépendantes.

– Mathieu, comment tu fais pour fêter toute la nuit et être encore aussi comique le matin ? Ça m'a toujours dépassée. De toute façon, la vérité, c'est que j'ai flambé mon argent. À part le paiement initial sur mon condo, mes meubles et un petit REÉR, je n'ai pas beaucoup économisé. Je reçois constamment des appels de courtiers et d'agents d'assurances qui veulent me donner des conseils, mais je ne fais pas confiance aux agents d'assurances et je ne comprends pas un mot à ce que disent les courtiers.

– Tu parles d'une drôle de coïncidence. Tu ne croiras pas la conversation que j'ai eue avec papa hier soir. C'est pour ça que je ne suis pas sorti. Je voulais discuter avec lui de planification financière. Avec le bébé qui s'en vient, je veux commencer à m'informer. Maintenant que nous cherchons une maison, nous aurons besoin d'assurances, d'un fonds d'études pour Junior, etc.

– Junior ? Tu n'es pas sérieux, railla Mathieu entre deux bouchées de toast.

– Alors, qu'est-ce qu'il t'a dit ? Je ne savais pas qu'il s'y connaissait en finances.

– Il n'y connaissait rien jusqu'à il y a cinq ans. C'est à ce moment-là qu'il a appris les rudiments de la planification financière. Et maintenant, ses affaires vont bien. Je vais vous dire quelque chose : vous ne devinerez jamais qui lui a appris tout ça. C'est Armand Meilleur !

– Qu'est-ce qu'Armand connaît à la planification financière ? demanda Mathieu.

– Beaucoup de choses. Tu sais, quand on pensait que c'était la femme d'Armand qui avait touché un gros héritage ?

– Oui, oui.

– En fait, la maison, la BMW, le bateau, enfin tout, il le doit à une bonne planification financière. Armand est parti de rien et, avec seulement des gains moyens, il est devenu riche.

– Mais comment?

– Je ne le sais pas encore mais sois sans crainte, je vais le découvrir. En fait, notre coiffeur favori commence mon éducation ce matin. Papa dit qu'Armand va m'enseigner tout ce que j'ai besoin de savoir pour acquérir la tranquilité d'esprit en matière financière.

– Ça a l'air intéressant. Est-ce que je peux y aller avec vous aujourd'hui? implora Jacinthe. Je n'ai pas besoin d'une coupe de cheveux, mais j'ai certainement besoin de conseils.

– Oui, viens avec nous, dis-je. Qui sait? Peut-être qu'un de ces matins, dans quelques années, nous serons tous en train de bruncher sur la Méditerranée en nous rappelant ce samedi le plus important de notre vie.

– Un barbier devenu riche , marmonna Mathieu en secouant la tête.

27

▌3▐
LE RICHE COIFFEUR POUR HOMMES

Lorsque nous sommes arrivés au salon, Armand finissait la barbe de monsieur Poulin. Je ne pense pas qu'il lui ait poussé un seul poil au menton depuis qu'il est nonagénaire.

– Comment vas-tu, François? demanda monsieur Poulin en me fixant droit dans les yeux.

– Je m'appelle Éric.

– Oh, excuse-moi, Frédéric! Je te confonds toujours avec ton frère.

– Je n'ai pas de frère, monsieur Poulin, vous pensez à...

– Mon Dieu, il est arrivé quelque chose à ton pauvre frère? Il ne devait pas avoir plus de trente ans!

– Je n'ai jamais eu de frère, vous pensez à...

– Oh, oui, excuse-moi. Je te prenais pour un des petits Nault, les fils du directeur.

Je ne savais plus quoi dire. Avant que j'aie pu réagir, monsieur Poulin se dirigeait vers la porte.

– Le pauvre vieux devient sénile, hein, Armand? dis-je, attendri, après que la porte se fut refermée.

– Tu veux rire de moi, Éric? Tout ce temps-là, il savait qui tu étais. Il le fait exprès. Il croit que je ne lui demanderai pas de payer si je pense qu'il est en train de perdre la tête.

– Alors, le fais-tu payer? demanda Mathieu.

– Sûr et certain ! Si j'avais donné une coupe gratis à tous les énergumènes qui sont venus ici, j'aurais été ruiné en moins d'un mois... Et vous deux, vous n'auriez jamais payé. Beau bronzage, Jacinthe. Hé, Éric, as-tu lu l'article dans le journal de la Chambre de commerce de Montréal à propos de notre Pierrette Péladeau, ici présente ?

Armand faisait allusion à une page entière consacrée à ma sœur, la décrivant comme la femme la plus intelligente et la plus talentueuse de la terre.

– Ma mère me l'a montrée, dis-je. Et, cinq fois plutôt qu'une.

– Si tu veux la voir une sixième fois, dit Mathieu en riant, elle est au fond de la cage d'oiseaux.

Moi, je n'ai pas trouvé la réplique particulièrement drôle, mais Jacques, qui lisait le journal dans un coin, s'en est tapé les cuisses.

– Hé, où est Hugo ? demandai-je.

– Il est en vacances chez sa sœur, en Floride, répondit Jean Louis. J'ai entendu dire qu'il faisait 32°C hier. Il suit sûrement une diète liquide.

C'est alors que je me suis hissé dans la chaise d'Armand. Je passe toujours devant Mathieu. Il veut qu'Armand soit bien réchauffé avant de lui confier sa tête.

– Je parlais de planification financière avec mon père, hier soir. À la veille d'acheter une maison et d'avoir un enfant, je me suis dit qu'il était temps que j'apprenne quelques principes. Papa m'a dit que tu en savais plus que quiconque sur la planification financière. Donc Jacinthe, Mathieu et moi, nous espérons que tu pourras nous apprendre quelques principes de base.

– Ton père m'en a glissé un mot, jeudi dernier. Comme je lui disais, je vais t'aider avec plaisir. Lui-même est venu me voir, il y a cinq ans, et ses affaires se sont replacées.

– Il me l'a dit. C'est très bien, mais lui il avait de l'argent à investir. Je ne pense pas que tu puisses faire grand-chose pour nous. Le seul argent que Nadia et moi possédons est celui que nous avons économisé pour le paiement initial sur la maison.

– Éric, placement et planification financière ne sont pas des synonymes. La planification financière, c'est une bonne gestion de l'encaisse et des actifs. Bien sûr, il y a les testaments et les assurances et quelques autres moyens, mais nous en reparlerons plus tard. Pour commencer, sache que ce qui détermine la réussite, c'est la façon de gérer ses revenus et ses actifs. Soyons honnêtes : la plupart des jeunes couples n'ont aucun actif, sauf peut-être une maison. Dans ce cas, il ne reste que l'encaisse à gérer.

– Tu veux dire budgéter ? Je ne vaux rien là-dedans.

– Non, je ne veux pas dire budgéter. Tout le monde est mauvais là-dedans. Très peu de gens sont devenus riches en budgétant, et ceux-là ne sont pas drôles.

– Ah, Ah ! dit Jacinthe. Mais sans budget, comment peut-on économiser ? Pour ma part, il ne me reste plus un sou à la fin du mois. Je dépense tout. Plus il rentre d'argent, plus j'en dépense.

– Ne nous emballons pas. J'admire ton enthousiasme, mais ne mettons pas la charrue avant les bœufs. Je peux assurer à chacun d'entre vous la réussite financière. Je l'ai fait pour un tas de gens, y compris pour ces deux numéros, dit Armand en regardant Jacques et Jean. À partir du mois prochain, chaque fois que vous viendrez ici, je vous enseignerai une nouvelle leçon de saine planification financière. Dans sept mois, vous serez sur le chemin de la prospérité et vous direz à qui veut l'entendre qu'Armand Meilleur est le plus grand homme qui ait jamais vécu.

31

– Armand, nous le disons déjà à tout le monde, ironisa Mathieu.

– Comment peux-tu nous en apprendre autant en si peu de temps ? Tu sais, Armand, tu as vraiment affaire à des novices. Mathieu, Éric et moi, nous sommes de parfaits idiots en finance !

– Jacinthe, ma tâche sera de retirer le mot finance de ta phrase. Tu t'occuperas du reste toi-même. Fais-moi confiance... Une bonne planification financière n'est rien d'autre qu'une question de bon sens. Rappelle-toi notre mot d'ordre : le bon sens.

Nous partageons à peu près tous les mêmes buts : des vacances annuelles, une belle voiture, une maison confortable, un chalet, une retraite anticipée, la possibilité d'offrir à nos enfants ce qu'ils veulent... et des billets de saison au baseball. Ce qui correspond grosso modo à ce que tout Québécois recherche. Et je vous dirai tout de suite que ces buts sont faciles à atteindre. Surtout si vous commencez jeunes. Le temps est votre meilleur allié. Si vous commencez dès maintenant, je vous assure que vous surpasserez vos objectifs.

Regardez-moi. Je ne suis qu'un barbier ! Je suis fier de mon travail, mais je suis le premier à reconnaître que je ne gagne pas le salaire d'un médecin, loin de là. Par contre, vous auriez de la difficulté à trouver beaucoup de professionnels avec un meilleur bilan financier que le mien. J'espère ne pas avoir l'air trop prétentieux. Je veux seulement dire que si quelqu'un comme moi peut devenir riche, la chose est certainement possible pour des génies comme vous.

– Tu n'es pas idiot, Armand, peut-être un peu lent à l'occasion, mais pas idiot, lui lança Mathieu.

– Mais si c'est si facile, pourquoi est-ce que tout le monde ne le fait pas ?

– Par ignorance. Ton père et moi en parlons tout le temps : nos écoles n'enseignent pas les principes financiers; en famille, on ne parle pas d'argent; quelqu'un qui voudrait apprendre ne saurait pas où aller. Notre industrie financière est intéressée à vendre des produits, pas à prodiguer des conseils en planification financière. La plupart des agents d'assurances vendent des polices avec valeur de rachat; les vendeurs de fonds communs de placement vendent des fonds et des abris fiscaux; les courtiers vendent des actions et des obligations; les banquiers vendent des certificats de placement garantis et ainsi de suite. Peux-tu les blâmer? L'argent est dans la vente de produits, alors très peu d'entre eux sont de vrais **planificateurs financiers**.

– Y a-t-il de bons planificateurs financiers? demandai-je.

– Bien sûr qu'il y en a, mais si tu as les connaissances financières nécessaires, tu es sûrement le mieux placé pour connaître tes besoins.

– Et les conseillers financiers sur honoraires? demanda Mathieu.

– Ne te fie pas trop aux planificateurs financiers, répondit Armand d'un ton assuré. Apprends par toi-même. Personne n'est mieux placé que toi pour s'occuper de ton argent. C'est toi qui dois prendre en main ton propre avenir financier. Comme je l'ai dit plus tôt, ce n'est pas difficile.

– Hier soir, papa m'a dit qu'un vieil homme t'avait appris un secret en or quand tu étais très jeune. Quel est-il?

– Tu le sauras le mois prochain. Si tu m'écoutes attentivement, ne serait-ce qu'une seule fois au cours des prochains sept mois, fais en sorte que ce soit le mois prochain. Si tu appliques cette leçon à la lettre, même si tu rates tout le reste, je te garantis que tu seras riche un jour.

– On ne peut pas commencer aujourd'hui? implorai-je.

À mon grand chagrin, il n'en était pas question.

– Ma petite-fille arrive dans cinq minutes. C'est moi qui la garde cet après-midi. Jacinthe peut rester, mais vous deux déguerpissez. Émilie n'a que trois ans et je ne veux pas qu'elle ait peur des hommes pour le reste de sa vie.

Jamais auparavant je n'avais eu autant le goût de me faire couper les cheveux deux semaines d'affilée. Armand avait vraiment piqué ma curiosité. Je le connais depuis longtemps et il m'avait toujours paru être un homme très modeste. La confiance qu'il affichait lorsqu'il parlait de notre avenir financier était étonnante et contagieuse. J'en étais sûr maintenant, je venais de faire le premier pas sur la route de la prospérité financière.

4

LE PRINCIPE
DU DIX POUR CENT

Je ne me souviens pas d'un orage pire que celui de ce troisième samedi de mai. Un vent du Nord s'était levé qui soufflait à soixante-dix kilomètres à l'heure. Avec un temps pareil, la majorité des Bromontois (des Bromontois intelligents) était demeurée à la maison.

Mais il n'était pas question que Mathieu, Jacinthe et moi rations *le secret*. Déjà un mois que nous attendions. Nous étions tellement excités que nous ne sommes pas allés déjeûner au restaurant.

Comme d'habitude, c'est moi qui conduisais. Chez mes parents, la maison et le garage sont communicants; Mathieu et Jacinthe ont aussi des stationnements intérieurs; il nous était donc possible de rester au sec jusqu'à notre arrivée. Chemin faisant, Jacinthe fit remarquer que le salon ne serait peut-être pas ouvert à cause du mauvais temps. Mathieu et moi avons pouffé de rire. En trente-sept ans, Armand n'a jamais manqué une pleine journée de travail, peu importe les circonstances. Il a même ouvert le matin du mariage de sa fille. Puisque les rues étaient désertes, il nous a été facile de garer la voiture juste en face du salon d'Armand. Avec nos parapluies et l'auvent du salon, nous avons pu sortir de la voiture et nous rendre à la porte sans nous mouiller. C'était fermé.

Hugo, revenu de Floride plus bronzé que jamais, nous observait de l'intérieur.

– Tout ce que vous avez à dire, lança-t-il d'une voix amusée, c'est : nous détestons les Expos. Et je vous ferai entrer. Le café est déjà chaud. Pendant ce temps, il pleuvait. Nous trouvions que la plaisanterie avait assez duré. L'angle de la pluie était tel qu'il nous était impossible de nous protéger davantage, même avec nos parapluies et l'auvent.

– Je déteste les Expos, cria Jacinthe, pas du tout amusée.

Traîtresse. Mathieu et moi n'avons pas bronché. Hugo branla la tête et nous fit entrer.

– Vous avez la tête dure. Vous devriez vous faire soigner.

– Hugo qui nous dit d'aller voir un psychiatre, c'est comme Cyrano qui suggère à quelqu'un de se faire refaire le nez, murmura Mathieu en s'épongeant.

– Je ne pensais pas que vous alliez venir par ce temps-là. Il fait vraiment très mauvais, dit Armand.

– Quoi ? Et rater la première leçon tant attendue et tant espérée ? Tu veux rire ? répondis-je. Ce que je ne comprends pas, par contre, c'est que vous soyez venus tous les trois par un temps pareil.

Je parlais à Hugo, Jacques et Jean Louis. Je ne sais pas pourquoi j'utilise toujours le nom et le prénom de Jean Louis. C'est peut-être parce que lorsque j'étais jeune, je croyais que Jean Louis était son prénom, comme dans Jean-Marie ou Jean-François.

– Ils ne manqueraient pas un café et un beigne gratis même dans un ouragan. Tu sais comment ils sont, répondit Armand en mettant de l'ordre sur son comptoir.

– Tu sais, Armand, il y a déjà un mois que j'attends ce grand jour avec impatience, dit Jacinthe. Plutôt que de s'améliorer, ma situation financière se détériore. J'ai hâte d'entendre ce que tu as à nous dire.

– Alors nous commençons tout de suite ? Comme ton père te l'a probablement dit, j'ai repris le salon à la mort du mien, il y a environ trente ans. J'ai été chanceux et quelques-unes de mes idées ont été lucratives. Après deux ans, j'avais un bon revenu, très bon même pour un barbier. J'ai ajouté deux chaises dans l'autre pièce et, tout compte fait, les choses allaient plutôt bien.

J'ai donc décidé d'en faire mon métier. Je savais que mon revenu de barbier serait honorable mais insuffisant pour faire de moi un homme riche. Ça m'ennuyait beaucoup parce que, franchement, je voulais devenir riche. J'ai grandi dans la pauvreté et, croyez-moi, on n'y prend pas goût. Je ne voulais pas vivre dans une petite maison avec une seule chambre à coucher. Je voulais vivre au bord du lac. Je voulais aussi être le propriétaire de cet édifice. Je voulais une belle voiture, faire des voyages en Europe et me payer toutes les choses agréables que la vie peut offrir.

La seule façon d'y parvenir avec mon revenu, c'était d'établir un budget et d'épargner comme un fou. Du moins, c'est ce que je pensais. Alors, j'ai établi un budget : tant pour le loyer, tant pour la nourriture, tant pour les vêtements, tant pour l'épargne... Après deux ans de ce budget, j'étais toujours au même point. Immanquablement, à la fin de chaque mois, je me disais : *Eh bien! Tant pis pour l'épargne!* C'était loin d'être ce que j'avais espéré. C'était même très décevant.

Comme toi, Éric, j'ai réalisé que je ne m'y connaissais pas en planification financière. Il était temps que j'apprenne. Parce que je n'avais plus de père à qui demander conseil, je suis allé voir la seule personne qui connaissait l'argent. Il en avait tellement, ce bon vieux monsieur Desmarais. Je lui ai expliqué ma situation. Je lui ai dit quels étaient mes buts. Et je lui ai demandé si c'était possible d'y parvenir. Il m'a dit que la richesse m'attendait si j'apprenais le secret en or : «**Investis 10 % de tous tes revenus dans un programme de croissance à long terme**. Si tu suis ce conseil, un jour tu seras richissime.»

– C'est tout? demanda Mathieu. J'aurais pu obtenir cette information dans un dépliant de la caisse populaire!

– Du calme, Mathieu, répondit Armand. J'ai eu le même réflexe, je n'étais pas très impressionné moi non plus. En suivant mon budget, j'étais censé épargner même plus de 10 % mais ça ne fonctionnait pas. Et j'étais loin d'être riche. Mais monsieur Desmarais continua son explication. C'est cette explication, que je vous donne maintenant, qui a transformé une petite phrase anodine en un principe très puissant.

Jacinthe, si tu plaçais 2 400 $ par année, disons 200 $ par mois, pour les trente prochaines années, à un taux de rendement annuel de 15 %, tu retirerais combien d'argent à la fin?

– Eh, bien, 2 400 $ fois 30... font 72 000 $.

– Je suis impressionné, interrompis-je.

– Plus la croissance... Je ne sais pas... Je dirais environ 200 000 $. Peut-être pas autant, conclut Jacinthe.

– Faux! La réponse est 1,4 million, déclara Armand.

– Sois réaliste, fut la première réaction de Mathieu. Lorsqu'il vit qu'Armand était sérieux, il blêmit.

– Et l'inflation? bégaya-t-il. Où est-ce que je vais trouver un taux de 15 %? Et puis pour commencer, où trouver 200 $ par mois?

– Ce sont de bonnes questions, Mathieu, mais on y reviendra en temps et lieu. Éric, à ton tour. Si tu avais commencé à économiser 30 $ par mois, soit 1 $ par jour, à l'âge de 18 ans et que tu avais continué jusqu'à l'âge de 65 ans, à un taux de rendement de 15 %, combien d'argent aurais-tu accumulé?

– Je déteste le calcul, Armand, mais je vais essayer. 30 $ par mois font 360 $ par année fois 47 ans... Quelqu'un a une calculatrice?

– C'est un peu moins de 17 000 $, interrompit Armand.

– Plus la croissance. Je dirais environ 70 000 $.

– À quelques dollars près, reprit Armand. La réponse, c'est environ 2 000 000 $.

– Foutaise, railla Mathieu comme s'il avait lu ma pensée.

– Non, pas de la foutaise, c'est de la magie. La magie des intérêts composés, des intérêts sur le capital et des intérêts sur les intérêts, pas seulement l'intérêt simple sur le capital. C'est la huitième merveille du monde. Trente dollars par mois, un dollar par jour, se transforment mystérieusement en quelques deux millions de dollars. Et savez-vous ce qui est encore plus impressionnant? Vous regardez quelqu'un qui l'a fait!

Il y a trente-cinq ans, j'ai commencé à économiser 30 $ par mois, ce qui représentait environ 10 % de mon revenu. J'ai réussi à obtenir un rendement annuel moyen d'un peu moins de 15 %. Au fur et à mesure que mon revenu augmentait, mes économies augmentaient proportionnellement; donc le 30 $ mensuel est devenu 60 $, puis 100 $, puis des centaines de dollars. Vous avez devant vous un homme riche!

– Essayes-tu de nous dire qu'en économisant 10 % sur chaque chèque de paye, tu es devenu millionnaire? demanda Mathieu soudain très attentif.

– C'est exactement ça, répondit simplement Armand.

Armand Meilleur, un millionnaire! J'étais médusé. Je savais qu'il avait réussi, mais millionnaire? Je n'avais jamais rencontré de millionnaire. Et je ne m'attendais pas à ce que le premier soit barbier. Armand semblait éprouver un malin plaisir à regarder nos visages incrédules.

– Les intérêts composés... C'est ahurissant, non? poursuivit-il. Quand les Indiens ont vendu Manhattan aux Hollandais pour 24 $ de verroterie, on pense qu'ils se sont fait avoir. Mais s'ils avaient investi cet argent à 8 % d'intérêt, aujourd'hui ils vaudraient des millions de millions de dollars.

– Armand, as-tu déjà pensé à acheter Manhattan? lança Jacinthe.

– C'est dommage que la plupart des gens ne comprennent pas les intérêts composés et les merveilles qu'ils peuvent accomplir. Éric, prends ton père: s'il avait commencé sa planification en même temps que moi, tu pourrais aujourd'hui rêver de toucher un gros héritage.

– Tu n'as toujours pas répondu à mes questions, reprit Mathieu: l'inflation, le 15 % et les 200 $ par mois. Je me compte chanceux quand je peux mettre 200 $ de côté par année. Et même si je pouvais épargner, je ne comprends rien à la Bourse, aux options et à la Bourse des matières premières... Allez, Armand, tu te payes notre tête!

Mathieu avait un peu raison. Économiser n'est jamais facile. Personne, personne n'a consacré plus de temps que Nadia et moi à mettre sur pied un budget. Et pourtant, à part le paiement initial sur la maison, nous n'avons jamais réussi à mettre un sou de côté. Quant aux placements, j'en ai déjà fait un à la Bourse de Vancouver: j'ai perdu 1 000 $ en une semaine. Un mille dollars que je ne pouvais me permettre de perdre. Un mille dollars dont j'avais absolument besoin pour payer mes études.

– J'arrive à l'économie et aux placements, dit Armand. Pour ce qui est de l'inflation, je suis certain qu'au milieu des années cinquante, les gens disaient : économiser 10 %, c'est une bonne idée, mais deux millions de dollars, ça ne vaudrait plus grand-chose dans les années quatre-vingt ! Bien sûr, l'inflation joue, mais pas de manière dévastatrice. En fait, l'inflation représente une raison de plus d'économiser. Les prix vont augmenter, les propriétés riveraines et les voitures de luxe seront de plus en plus chères. Mais croyez-moi, si vous économisez 10 %, vous garerez votre Mercedes à côté de votre chalet un jour. Rappelez-vous que vos salaires continueront d'augmenter, et votre 10 % aussi. Mon 10 % original était de 30 $ par mois, le vôtre sera plus élevé, comme votre fortune totale sera plus grande. Si vous gérez judicieusement vos épargnes, votre taux de croissance devrait surpasser largement l'inflation. Peut-être pas à chaque année, mais certainement à long terme. C'est la personne qui n'économise pas ce 10 % qui devrait se soucier de l'inflation.

– Alors, comment...

– Pas si vite, pas si vite. Commençons par parler d'économie. Lorsque les gens pensent économie, ils pensent budget. J'alloue tel pourcentage de mon revenu à une chose, tel pourcentage à une autre, etc. Et, à la fin du mois, j'ai un surplus de tant... Mais il y a toujours les imprévus ; et à la fin du mois, l'argent a disparu.

Vous savez, quand j'ai repris le salon, je me suis rendu compte que la gestion des coûts n'avait pas été un point fort chez mon père. Alors j'ai établi un budget détaillé qui rencontrait mes dépenses possibles et je l'ai suivi à la lettre. Ce budget a contribué en grande partie à mes premiers succès. Depuis, je fais toujours un budget annuel que je respecte.

Après deux ans, je ne comprenais pas pourquoi mon budget personnel était une telle perte de temps alors que le budget du salon allait comme sur des roulettes. J'en ai parlé à monsieur Desmarais. Je n'ai jamais oublié ce qu'il m'a répondu : «Armand, mon ami, ton entreprise a un budget en fonction de ses besoins. Or, il est dans ton intérêt de limiter ces besoins-là le plus possible. Par contre, ton budget personnel doit satisfaire à la fois tes besoins et tes désirs. Les budgets personnels sont plus difficiles à suivre. Parce que tes désirs deviennent des besoins.» Et c'est tellement vrai! J'avais vraiment *besoin* d'une nouvelle voiture ou est-ce j'avais *le goût* d'une nouvelle voiture? Jacinthe, avais-tu vraiment besoin d'aller en Europe l'hiver dernier ou est-ce que tu avais seulement envie d'y aller? Mathieu, avais-tu besoin d'un stéréo ou est-ce que tu en avais envie, tout simplement? C'est dans la nature humaine que de dépenser tous ses revenus et de rationaliser après coup que c'était des besoins.

– O.K., dis-je, mais il faut quand même s'amuser un peu. Une des raisons pour lesquelles je travaille, c'est pour m'offrir les choses que j'aime.

– Tous les jeunes pensent comme ça. C'est exactement ce que j'ai dit à monsieur Desmarais. Rappelle-toi que j'ai grandi dans la pauvreté. La première fois que j'ai eu un peu d'argent à dépenser, c'était durant mes deux premières années au salon. Je n'essaie pas de te dire de gratter sur tout, mais si tu veux arriver à tes buts, tu dois économiser. C'est facile à comprendre. Heureusement, il existe un moyen d'économiser qui est sans douleur; tu vois à peine la différence!

– Je ne m'y connais pas beaucoup en finances, échappa Mathieu, mais je sais qu'il n'y a pas d'économie sans douleur. Ça ne se peut pas. C'est impossible.

Une voix retentit du fond de la salle : «Silence! Écoutez!» Cette remarque me prit au dépourvu. Je connais Hugo depuis vingt ans et il n'a jamais dit que des blagues. Je n'exagère pas. Qu'il porte attention à une conversation sérieuse était déjà un exploit, qu'il soit anxieux de la poursuivre était extraordinaire.

– Hugo, reprit Armand, y a-t-il une façon d'économiser sans douleur?

– Bien sûr! répondit Hugo. *Paie-toi en premier.* Monsieur Desmarais savait de quoi il parlait quand il t'a dit ça.

– Ah, non! s'écria Mathieu. Ne me dites pas que l'anti-Expos ici présent est riche lui aussi! Un riche barbier, passe encore, mais un énergumène comme Hugo? C'est trop pour moi...

Armand et Hugo échangèrent un regard complice.

– *Paie-toi en premier*, reprit Armand. Je ne peux pas vous dire tout ce que ces quelques mots ont signifié pour moi. Après avoir constaté que l'épargne seule ne suffisait pas, et après avoir compris pourquoi le budget ne fonctionnait pas plus, monsieur Desmarais en avait conclu que la seule façon d'épargner était de se payer en premier. À ce moment-là, il parlait du 10 %, mais la théorie s'applique à tous les genres d'épargne. Que vous économisiez pour un paiement initial, une voiture, un voyage, peu importe, la meilleure chose à faire est de prendre l'argent directement de votre chèque de paye ou de votre compte de banque **avant d'avoir eu le temps de le dépenser**. Mais nous parlerons de la façon d'épargner pour des choses de ce genre dans quelques mois...

De toute façon, j'étais sceptique au début. J'aidais ma mère et ma sœur à s'en sortir, je payais le loyer du salon, les versements sur la voiture et en plus j'économisais pour un paiement initial et pour une bague de fiançailles. Et les résultats n'étaient pas très brillants. De toute évidence, je ne pourrais pas mettre de côté un 10 % additionnel. Où trouver ces 30 $ par mois? Déjà, il ne me restait plus rien à la fin du mois. J'avais essayé de budgéter, mais ça n'avait pas fonctionné. Alors, monsieur Desmarais m'a fait une offre pour le moins généreuse. Il m'a dit : « Mets 30 $ directement dans un compte de banque séparé et de là, mets-le dans un placement. Si, à un moment donné, tu es à court d'argent à cause de ce 30 $, je t'en prêterai. Tu me rembourseras quand tu pourras, sans frais. » Comment refuser ça ? De toute façon, je n'ai jamais manqué d'argent. Mon niveau de vie n'en a pas souffert non plus. Je sais que 30 $ semble peu, mais c'était 10 % de mon revenu à l'époque, et je ne l'ai jamais manqué.

Mais le meilleur exemple de la règle du paie-toi en premier, c'est Hugo. Un bon régime de retraite au travail, un appartement, pas de femme, pas d'enfants, pas de dettes, voilà le portrait d'Hugo il y a quinze ans. En fait, c'est le même qu'aujourd'hui. En 1973, il m'a dit qu'il avait l'œil sur un beau voilier de 20 000 $; ce serait pour sa retraite. En 1973, 20 000 $ pour un voilier, c'était déjà beaucoup d'argent. Je lui ai fait remarquer qu'en tenant compte de l'inflation, ce voilier coûterait passablement plus cher à sa retraite, en 1993. La seule façon de pouvoir l'acheter un jour, c'était de commencer à mettre de l'argent de côté immédiatement. Au début, il mettrait de côté environ deux cents dollars par mois... C'était une grosse partie de son revenu à l'époque. Hugo s'est mis à gémir : « Je vais mourir. Je ne pourrai plus sortir du tout. Je ne pourrai plus inviter une fille à souper. » Il était convaincu que la faillitte le guettait. Quatre mois après avoir commencé son programmme d'économie, je lui ai demandé comment il se débrouillait sans ces deux cents dollars par mois. Il m'a répondu qu'il avait déjà oublié cet argent.

On ne peut pas exagérer l'importance de cette réponse : il avait déjà oublié qu'il mettait l'argent de côté ! Au fil des ans, j'ai appris à des douzaines de personnes la règle du paie-toi en premier. Personne n'a remarqué de changement draconien dans son niveau de vie... Jusqu'à ce qu'ils se retrouvent à siroter leurs martinis sur leur voilier! Demande à ton père, Éric. Il te le dira. C'est vraiment incroyable. Tu sais comme on s'habitue vite à une augmentation de salaire? Bien, l'inverse est aussi vrai.

– Je ne gagne pas beaucoup d'argent, dit Hugo avec fierté, et j'ai commencé à épargner il y a seulement quinze ans. À présent, je ne pense plus seulement au voilier, j'envisage aussi une très belle retraite. Si vous commencez dès maintenant, il n'y a pas de limites.

– Entendons-nous, reprit Armand. À certains moments de votre vie, vous aurez à épargner pour diverses choses : une maison, une voiture, un voyage. La maison, en particulier, constitue une dépense importante. Vous ne pourrez atteindre certains de ces buts sans sacrifier une partie de votre niveau de vie; il faut être réaliste. Cependant, c'est différent pour le 10 % parce que c'est une retenue régulière sur votre salaire. Vous ne le voyez même pas. Il est prélevé directement de votre chèque de paye ou de votre compte de banque. Vous ne pouvez vous imaginer à quel point la chose est facile.

– Je comprends que ce ne soit pas si difficile d'économiser le 10 %, surtout si tu te paies en premier. Mais le fameux rendement de 15 % m'intrigue toujours, insista Mathieu. La dernière fois que j'ai vérifié, mes maigres épargnes me rapportaient un misérable 6 %.

– Obtenir un taux de rendement plus élevé à long terme est vraiment simple, répondit Armand en haussant les épaules. Deviens propriétaire, pas prêteur.

– Voyons, Armand, rétorqua Mathieu, je n'y connais rien aux actions, à l'or, à l'immobilier. J'ai vu ce qui est arrivé à la Bourse en octobre 1987. Je ne veux pas que ça m'arrive à moi.

45

– Mathieu, tu n'as pas compris les trois mots clés : **à long terme**. La propriété, du moins, lorsqu'elle est gérée intelligemment, sera toujours préférable à long terme. S'il était plus profitable pour les entreprises et les individus de laisser leur argent à la banque plutôt que de l'investir dans l'économie nord-américaine, nous aurions tous de sérieux problèmes. Notre système économique s'effondrerait. Ça ne se produira pas... Mais si par malheur ça arrivait... ce ne serait pas très avantageux pour ton argent à la banque... Pourquoi ? Ah ! Ah ! Parce que toutes les banques fermeraient !

Quand tes parents étaient jeunes, les magnétoscopes, les fours à micro-ondes et les barbecues au gaz n'existaient pas. Depuis, la technologie, les découvertes médicales et les programmes sociaux ont fait des progrès immenses. Tu vois, en dépit de tous les cris, les grincements de dents et les visions d'apocalypse, nous vivons à une époque d'abondance. Si tu es en santé et si tu vis au Canada, tu n'as pas de raison de te plaindre... sauf si tu joues pour les Nordiques !

Je sais, il y a les pluies acides, le déficit, le chômage et j'en passe. Ce sont des problèmes sérieux, mais il y aura toujours des problèmes sérieux. Et la plupart finiront par se régler. « Nous traversons une période difficile. Jamais, de mémoire d'homme, il n'y a eu autant d'appréhension et de pessimisme... Les États-Unis sont aux prises avec des problèmes raciaux, industriels et avec un marasme économique qui les mènera Dieu sait où... Pour le moment, personne ne voit la lumière au bout du tunnel. » Mais vous savez, l'Histoire se répète ! Ces grands titres faisaient déjà la une des journaux, aux environs de 1850 !

Je crois que les vingt à trente prochaines années offriront d'excellentes possibilités. Les choses bougent tellement vite. À long terme, la propriété demeure la seule façon de ne pas rater le bateau.

– Alors, nous devrions acheter des actions ordinaires ? demandai-je.

– Pas avec ton 10 % d'épargne. Les actions ordinaires ne sont pas la solution.

J'étais surpris.

– Tu n'as jamais acheté d'actions ordinaires, Armand ?

– Jamais, je ne connais rien à l'analyse de marché, et je n'ai pas d'amis non plus qui s'y connaissent. C'est très difficile, ça exige une grande discipline. Pour réussir, tu dois acheter quand tout le monde vend et vendre quand tout le monde achète, en faisant preuve de courage et de finesse. Tu dois aussi avoir de bonnes connaissances économiques et tu dois t'en servir pour prévoir l'avenir. Tu dois étudier la gestion des compagnies et savoir poser les bonnes questions. Et, par-dessus tout, tu dois avoir un sixième sens, de l'intuition, être capable de reconnaître une bonne affaire. Très peu de gens possèdent toutes ces qualités. Je ne suis pas l'un d'entre eux. Connais-tu quelqu'un qui est devenu riche en achetant et en vendant des actions ? Il n'y en a pas beaucoup. Pourquoi ? Parce que c'est trop difficile.

– Et les courtiers en valeurs mobilières ? Ils doivent savoir ce qu'ils font.

– Tu sais, Éric, j'ai été courtier durant cinq ans, répondit Jean Louis, et je peux t'assurer qu'au moment de choisir des actions, le courtier n'est pas meilleur que toi. Un comédien a déjà dit : « Le courtier est celui qui investit ton argent jusqu'à tant que tu n'en aies plus. » Il serait encore plus juste de dire que le courtier est celui qui investit ton argent jusqu'à ce qu'il soit devenu *son* argent.

– C'est leur travail, pourtant, ils doivent s'y connaître.

– Éric, ce sont des vendeurs. C'est tout. Au lieu de vendre des souliers ou des lits, ils vendent des actions. Ils passent la journée au téléphone à parler à des clients, à lire des rapports de recherche et des états financiers incompréhensibles. Pendant mes cinq ans, j'ai vu une seule personne réussir à faire des profits dans son compte d'exploitation pour une année civile. Une seule !

– Toi ?

– Moi ? Non ! J'étais le pire. Je croyais que j'étais le meilleur parce que j'avais une voiture de luxe, que j'allais dans les grands restaurants et que je ramenais de gros chèques de paye à la maison. Malheureusement, je ne pouvais pas continuer éternellement à choisir les bonnes actions... Après cinq ans, j'étais dégoûté et j'ai abandonné. J'avais de bonnes commissions, mais la performance de placement de mes clients était lamentable. J'ai reçu un coup quand j'ai réalisé que ça faisait partie des règles du jeu. Sais-tu ce qui me dérange encore aujourd'hui ? C'est que la plupart des clients étaient satisfaits de mes services ! J'étais gentil au téléphone, je donnais de bons cocktails et je savais ce qu'il fallait dire. Je sais que j'aurais pu rester un courtier prospère pendant encore bien des années tout en continuant de perdre l'argent de mes clients.

Je me souviens qu'à mes débuts, il y avait un courtier de notre bureau qui était sur le point de prendre sa retraite. Il était là depuis trente ans et il avait une bonne réputation. Quand il s'est finalement retiré dans sa maison d'été et s'est consacré son yacht, ses comptes clients ont été partagés entre les autres agents. J'en ai reçu 90 dont quelques-uns étaient très bons. J'ai commencé à étudier ce qu'il avait fait pour ses clients afin d'être très bien informé quand viendrait le temps de les rencontrer. Je ne l'oublierai jamais. De ces 90 comptes, seulement sept avaient enregistré des gains au cours des ans, dont un seul des gains substantiels.

– Pourquoi les gens restent-ils fidèles à leur courtier s'ils perdent constamment de l'argent ? s'enquérit Jacinthe.

– Qui sait ? Quelques-uns ne le font pas. Ils changent de courtier et l'histoire se répète. D'autres ne s'en font pas avec ça. Ils jouent à la Bourse plus par goût du jeu que par goût des profits. Je sais que c'est difficile à croire, mais je suis convaincu qu'il y en a plusieurs qui ne savent même pas s'ils perdent ou gagnent. Je me rappelle entre autres d'un client qui pendant quinze ans a fait affaire avec ce courtier. Sa mise initiale était de 50 000 $ et quinze ans plus tard, il se retrouvait avec 55 000 $. « C'est mieux qu'une perte » a été sa réaction. Il n'avait pas compris que s'il avait laissé son argent en banque il aurait eu à la fin beaucoup plus que 55 000 $. Comme tant d'autres, il n'avait pas compris le principe de l'intérêt composé.

Une des principales raisons pour lesquelles les gens perdent de l'argent avec leur courtier, c'est qu'ils n'appliquent pas le principe suivant : **laissez accumuler les profits et limitez vos pertes**. Au contraire, la plupart des investisseurs et des agents limitent les profits et laissent les pertes s'accumuler. Les bons investisseurs admettent leurs erreurs, ils vendent, et n'enregistrent que de petites pertes. Ces pertes sont largement compensées par les gros profits engendrés par les valeurs d'achat et la patience... Une patience que la plupart d'entre nous n'avons pas. Les **mauvais** investisseurs pensent toujours que leurs actions vont au moins revenir à leur valeur d'achat initiale. Et parce que les courtiers ont mauvaise réputation lorsqu'ils choisissent une valeur perdante, au lieu de vendre et d'accepter une perte, ils perpétuent ce mythe. C'est un cercle vicieux. Ces investisseurs se cramponnent à des actions qui continuent de chuter.

– Jean Louis, es-tu en train de dire que les courtiers sont malhonnêtes ? demanda Jacinthe.

– Non, non... Ce n'est pas ce que je voulais dire. C'est dans la nature humaine que d'avoir de la difficulté à admettre une erreur. Ce n'est pas par malhonnêteté. Quelquefois nous avons même de la difficulté à nous avouer nos torts à nous-mêmes. Je dirais que 90 % des courtiers que j'ai connus sont des professionnels honnêtes. La presse raconte tout le temps que les courtiers « brassent » les comptes, qu'ils font des opérations boursières dans le seul but de toucher des commissions. Pour ma part, j'ai rarement vu ça. Le plus souvent, la piètre performance des investissements des courtiers n'est pas liée à un manque d'éthique. Bien choisir les actions est très difficile et la plupart d'entre nous en sommes incapables, tout simplement. Les courtiers sont avant tout des vendeurs, ce ne sont pas des conseillers en placement. En résumé, si les courtiers étaient si intelligents, ils n'auraient pas besoin de clients.

– Donc, nous ne devrions jamais avoir recours aux services d'un courtier ! conclut Mathieu.

– On n'a pas dit ça, précisa Armand. On a dit que vous ne devriez jamais investir votre fonds de 10 % dans des actions ordinaires, avec ou sans l'aide d'un courtier. Mais il existe beaucoup de bons courtiers, et si vous savez tirer profit de leurs conseils, ils peuvent vous aider grandement à atteindre le succès financier.

– Mais, qu'est-ce qu'un courtier fait d'autre ? demandai-je.

– J'y arrive. D'abord, regardons comment investir ce 10 %, répondit Armand patiemment.

– Tu veux que nous investissions dans la propriété, pas dans les actions ordinaires. Je suppose que ça veut dire l'immobilier. Est-ce que nous devrions acheter un pied carré chaque mois avec notre 200 $?

Évidemment, Mathieu blaguait. Mais sa question était relativement pertinente : y a-t-il sur le marché des parcelles de terrain à 200 $?

– L'immobilier est une possibilité réelle, confirma Armand. Mais pas en achetant un pied carré par mois ! De toute façon, on en reparlera plus tard. D'abord, jetons un coup d'œil sur la meilleure façon d'investir le 10 %, du moins pour les gens de moins de 45 ans : les fonds communs de placement.

J'ai froncé les sourcils.

– Je pensais que la Bourse était un endroit pour perdre de l'argent. Est-ce que les fonds communs ne sont pas principalement constitués d'actions ordinaires de différentes compagnies ?

– J'ai lu des choses à propos des fonds communs..., ajouta Jacinthe d'un ton inquiet.

– Est-ce qu'on n'a pas perdu des sommes énormes dans les fonds communs de placement durant le krach ?

– Je n'ai pas dit que la Bourse était un marché perdant. J'ai dit que d'acheter et de vendre des actions, seul ou sur les conseils d'un agent, est habituellement un marché perdant. En fait, la Bourse a été très bonne pour les investisseurs qui possèdent les qualités dont j'ai parlé : intelligence, courage, patience et flair.

Un fonds d'investissement en actions bien choisi te met en contact avec un gestionnaire professionnel qui a déjà fait ses preuves. Tu ne prends pas les décisions de placement toi-même. C'est un professionnel qui le fait pour toi. Un fonds commun de placement, c'est une mise en commun de ressources monétaires. L'argent provient de milliers de personnes comme toi et moi. Nous mettons tous notre argent ensemble et nous le confions à quelqu'un qui sait ce qu'il fait.

Il y a une foule d'avantages à en tirer. Le premier est celui que je viens de mentionner : une gestion professionnelle. Le deuxième, c'est que les fonds communs nous assurent une certaine diversification. La plupart des gens n'ont pas assez d'argent pour s'acheter un portefeuille bien diversifié, avec des actions de différentes industries dans plusieurs pays. La mise en commun des ressources permet de participer à un évantail de titres. Comme dit la maxime : « Il ne faut jamais mettre tous ses œufs dans le même panier. » Troisièmement, l'investisseur ne gère pas lui-même le fonds commun de placement. Il n'a pas besoin de faire toutes les recherches et de prendre toutes les décisions. C'est très important parce que la plupart d'entre nous n'avons pas le temps de nous occuper de nos investissements. Nous travaillons toute la journée. Or, avec les fonds communs de placement, pas de problèmes. Ils offrent un facteur PSS très élevé.

– Qu'est-ce que le facteur PSS ?

– PSS signifie Placement Sans Souci... C'est un terme technique, dit Armand en souriant.

– D'après ce que tu dis, les fonds communs de placement seraient parfaits. Alors, pourquoi est-ce qu'ils ont si mauvaise presse ? demanda Jacinthe.

– Oh ! ils sont loin d'être parfaits. Comme tous les placements en actions, c'est-à-dire les investissements qui impliquent la propriété, ils comportent des risques. Il n'y a pas de garantie. Les investissements fluctuent : si le marché chute, le fonds de placement va suivre le mouvement ; si ton gestionnaire prend une série de mauvaises décisions, la performance du fonds va être mauvaise.

Et n'oublie pas d'acheter un fonds commun d'actions ordinaires quand le prix du marché est bas. Achète quand le prix est bas et vends quand il est élevé. Évidemment, c'est un cliché. Mais on n'a jamais rien dit de plus vrai. Si tu achètes un fonds

52

seulement parce que celui de ton voisin a triplé au cours des cinq dernières années, tu fais fausse route. Au contraire, c'est quand l'investissement de ton voisin a chuté de 15 % en deux ans qu'il est probablement temps d'acheter. En plus de la difficulté à choisir le moment opportun pour acheter et de la réalité des fluctuations du marché, il y a quelques autres désavantages aux fonds d'investissement en actions. Ce sont des investissements à long terme, donc l'investisseur doit penser à long terme. Sur une période de sept à dix ans, l'économie, donc le marché, continuera sans doute son ascension en spirale. Si vous pensez garder votre fonds pour une aussi longue période de temps, vous n'avez pas à vous inquiéter. Mais si vous achetez un fonds pour une période de deux à trois ans, j'espère que vous êtes plus intelligents que moi ! Je suis persuadé que le marché se comportera bien à long terme, il le fait toujours. Mais je ne sais pas où il ira au cours des deux prochaines années. En vieillissant, j'ai réalisé que personne ne le sait. Personne ! Et il n'est pas encore né celui qui pourra faire des prévisions à court terme.

Finalement, les fonds de placement sont ennuyeux. En effet, personne ne se vante que ses fonds communs de placement ont grimpé de deux cents la veille. Les actions, l'immobilier, les droits d'options, les matières premières, ça c'est séduisant, c'est comme Las Vegas ! Mais pas les fonds. Personne n'a jamais dit que les fonds communs de placement étaient une façon palpitante d'investir son argent.

– J'ai l'impression que c'est beaucoup de problèmes pour un prétendu « meilleur choix », dis-je.

– C'est une impression, Éric, mais quand tu y regardes de plus près, tu constates qu'elle n'est pas fondée. Je te le prouverai en analysant un « problème » à la fois.

Commençons par les fluctuations du marché. Comme les montagnes russes, elles sont excitantes en montant, effrayantes en descendant. Mais grâce à *l'accumulation par achat périodique*, même les fluctuations à la baisse peuvent jouer à ton avantage. L'accumulation par achat périodique, c'est l'investissement le plus sûr sur le marché parce qu'il met toutes les chances du côté de l'investisseur. J'ai beaucoup lu sur la planification financière et curieusement, aucun livre n'y faisait allusion. La plupart des gens n'en ont jamais entendu parler.

– C'est mon cas, admit Jacinthe. Est-ce que c'est difficile à faire ?

– C'est simple comme bonjour ! répondit Armand. La définition technique c'est : « Système constitué d'actions ordinaires ou d'actions de fonds communs de placement que l'on achète à intervalles réguliers avec un montant d'argent, toujours le même, fixé à l'avance ». Simple, non ?

Voyons maintenant comment quelque chose d'aussi théorique peut enregistrer des résultats aussi fantastiques.

Mathieu, disons que tu décides d'épargner 100 $ pour l'investir dans le fonds XYZ. Le premier mois, XYZ se transige à 10 $ l'action ; donc tu achètes dix actions. Le deuxième mois, XYZ a baissé de 50 % pour atteindre 5 $; ton 100 $ te permet à présent d'acheter vingt actions. Le troisième mois, le fonds a repris de la vigueur et se négocie maintenant à 7,50 $, encore bien au-dessous de ton prix d'achat initial ; tu achètes treize actions et un tiers. Alors qu'est-il arrivé ?

– J'ai perdu de l'argent en suivant ton conseil. C'est ça qui est arrivé, répondit Mathieu.

– Non, tu n'en as pas perdu, répondis-je, sûr de moi. Tu as perdu 2,50 $ par action sur ton achat à 10 $; tu as gagné 2,50 $ par action sur ton achat à 5 $; donc, au bout du compte, c'est égal.

– Vous avez tort tous les deux, reprit Armand.

– Je déteste les mathématiques, grognai-je. Mais où est-ce que je me suis trompé? C'est une question de moyenne. Même moi, je peux faire la moyenne de trois chiffres.

– Combien Mathieu possède-t-il d'actions? demanda Armand. 43 et un tiers. Et combien valent présentement les actions? 7,50 $ chacune. Alors, 43 1/3 multiplié par 7,50 $ font 325 $. Combien Mathieu avait-il investi? 300 $. Il a donc gagné 25 $. Un très bon gain sur une si courte période de temps. Non?

– Eh bien!

– Parce que tu mets un montant préétabli chaque mois, tu obtiens plus d'actions à un prix plus bas. Tu as acheté vingt actions à 5 $, mais seulement dix à 10 $. Au fond, ça signifie que ton coût moyen par action sera plus bas que le prix moyen des actions. À long et même à court terme, c'est bon pour l'investisseur. Alors, si le marché boursier est incertain et si votre fonds en souffre, ne dites pas : « Merde! Mon investissement est à la baisse. » Dites plutôt : « Le marché va finir par reprendre, ce qui va entraîner une hausse de mon investissement. En attendant, j'en profite pour acheter des actions à bon prix. » L'accumulation par achat périodique, c'est vraiment un bon truc!

Le deuxième problème des fonds communs, c'est de savoir quand acheter. Il est très difficile pour un amateur, même pour un professionnel, de choisir le bon moment. Eh bien! Ce problème n'existe plus quand vous achetez à chaque mois. Vous n'achetez pas une seule fois, mais continuellement. Quelquefois les prix sont élevés, d'autres fois les prix sont bas. Quand le marché s'effondre, c'est le moment d'acheter des actions à bon prix, aussi longtemps que ça dure. En d'autres termes, vous n'aurez pas besoin de discipline, de courage, d'intelligence et de perspicacité. Parce que vous achèterez à chaque mois. Un effondrement boursier comme celui d'octobre 1987 affecte-t-il vos investissements ? Bien sûr que oui. Mais le marché rebondit. Il rebondit toujours. Quand il est bas, tu achètes des actions aux prix les plus bas, et tu en achètes beaucoup. Vive l'accumulation par achat périodique !

– Je crois bien que le fait que les fonds communs soient des investissements à long terme n'est pas un problème non plus, réfléchit Jacinthe. Nous allons accumuler et détenir des actions pour dix, vingt, trente ans. Nous sommes les parfaits investisseurs à long terme. Comme tu dis, les baisses du marché joueront en notre faveur. Tout ça a l'air excitant, Armand !

– Oui, c'est excitant, Jacinthe. Qu'importe si ces fonds ne sont pas des investissements prestigieux ! Quand ils t'auront rapporté de bonnes rentrées d'argent, tu pourras te procurer les choses dont tu rêves... Par exemple, une antenne parabolique, comme celle que j'ai achetée hier.

– Pas vrai ? Éric et moi allons chez toi pour voir la partie des Expos. Mets quelques bières au froid. O.K., Armand ?

– Je vous aime comme si vous étiez mes propres fils, les gars, mais si vous approchez de chez moi, j'appelle la police.

– Merci, papa ! grommela Mathieu.

– Armand, quels fonds communs devrions-nous acheter et comment ? demanda Jacinthe.

– Bonnes questions. Je vous laisserai le soin de les choisir, mais laissez-moi vous donner quelques conseils. Trop souvent on parle des fonds communs d'un seul bloc. « Je n'aime pas les fonds communs. » « J'ai connu quelqu'un qui s'est enrichi avec les fonds communs. » Pourtant, tous les fonds communs ne sont pas pareils. Il y en a que j'aime, d'autres que je n'aime pas. L'élément clé, c'est le gestionnaire. Tu achètes une gestion d'argent professionnelle. Il y a autant de différences entre deux gestionnaires qu'entre deux joueurs de hockey. Si je te demandais qui tu aimerais avoir dans ton équipe : Doug Wickenheiser ou Wayne Gretzky? Je suis certain que tu répondrais Wayne. Alors, quand tu choisis un fonds, cherche le Wayne Gretzky des gestionnaires.

– Comment le trouver?

– Si tu devais choisir le meilleur joueur de la Ligue Nationale de Hockey, sans connaître le hockey, par où commencerais-tu? Tu examinerais d'abord les statistiques. Qui est le meilleur marqueur? Qui est le plus régulier? Il a été bon pendant seulement une saison, ou saison après saison? Quand l'équipe est au bas du classement, il continue à bien jouer ou il se décourage? Après avoir étudié les statistiques, tu lirais des articles sportifs et tu consulterais les gens du domaine. Tu voudrais savoir si les experts en arrivent aux mêmes conclusions que toi.

C'est la même chose quand tu cherches un bon fonds commun de placement. Analyse les derniers rapports. Ils ne sont pas garants des résultats futurs, mais c'est certainement une très bonne indication sur la compétence des gestionnaires. Vérifie quel est le rendement moyen des cinq, dix, quinze dernières années. Est-ce que le fonds commun enregistre une performance constante, ou est-ce qu'il est à la hausse une année et à la baisse l'année suivante? Certains fonds enregistrent d'excellents rendements, même dans les périodes difficiles.

Ensuite, consulte les experts. Rencontre un agent de change, un vendeur de fonds commun ou un vendeur d'assurance-vie. Quelle est leur opinion? Lis le journal *Les Affaires*, la revue *Commerce*, le cahier financier de *La Presse* et le cahier économie du *Devoir*. Ces publications te renseigneront sur la performance des fonds communs et sur les chefs de file de l'industrie. Grâce à ces lectures, tu auras un résumé concis du rendement des fonds pour diverses périodes, tu connaîtras les taux, les frais de commission et tout le reste.

– Armand, peux-tu nous donner d'autres conseils? implora Jacinthe. Nous avons besoin de toute l'aide possible.

– Pour toi, Jacinthe, n'importe quoi. Premièrement : si le fonds offre un solide taux de rendement, assure-toi que le gestionnaire qui l'a créé est toujours en poste. Tu n'achètes pas la performance passée; tu achètes l'expertise du gestionnaire. Si le fonds ABC enregistrait un rendement moyen de 20 % par année sous la conduite de Guy Tremblay, mais Guy Tremblay a quitté l'entreprise, n'investis pas avec ABC. Parce que les nouveaux gestionnaires n'ont pas encore fait leurs preuves.

Deuxièmement : achète un fonds commun international qui investit dans diverses industries. Tu n'es pas intéressée à investir dans un seul pays et dans une seule industrie. Souviens-toi que les fonds spécialisés sont des investissements plus risqués que les fonds internationaux.

Troisièmement : achète un fonds dont le gestionnaire mise sur des valeurs sûres. Je veux dire, un gestionnaire qui a les deux pieds sur terre et qui ne suit pas aveuglément les modes. Trouve quelqu'un qui fait preuve de bon sens, de discipline et de patience pour choisir et garder de bonnes actions, des actions qui ont été ignorées par les autres. Un courtier ou un vendeur de fonds communs pourra t'aider à choisir.

Quatrièmement : attention aux commissions ! Le fonds que j'avais choisi percevait des frais de courtage élevés, mais ça en valait la peine. C'est dans ton intérêt de limiter les frais prélevés sur les premiers versements. Ces frais sont souvent de 9 %. Pour chaque dollar investi, 0,09 sont perçus directement. Il existe aussi quelques bons fonds sans frais de courtage. Si tu ne peux pas trouver un fonds qui te conviens, rappelle-toi que la commission est négociable sur la majorité des fonds avec frais de courtage. Cependant, la commission devrait être la dernière chose à considérer avant d'arrêter ton choix. Si le vendeur de fonds commun que tu as choisi te donne de bons conseils et un excellent service, il vaut bien des frais de courtages élevés.

Cinquièmement : il y a beaucoup de vendeurs qui sont limités à la vente de fonds de leur société. Ce n'est pas nécessairement mauvais, plusieurs de ces fonds sont très acceptables, mais garde toujours en tête que ces vendeurs ont un parti pris.

Sixièmement : il faut mettre l'accent sur le rendement à long terme. N'importe qui peut connaître une bonne année. Mais quand quelqu'un obtient des taux de rendement supérieurs sur une période de quinze, vingt ans, c'est un vrai bon indice de sa compétence.

Comment acheter un fonds sur une base mensuelle ? Tout ce que tu as à faire c'est de remplir un formulaire de programme de prélèvements automatiques et un formulaire d'achat de fonds. D'ailleurs, c'est souvent sur le même formulaire. Ça prend une minute. En passant, ne signe jamais de plan contractuel qui limiterait ta liberté. Si le gestionnaire quittait et si tu voulais changer de fonds, ce type de plan comprend des clauses pénales qui restreignent ta mobilité financière. Contente-toi d'un programme de prélèvements automatiques annulable en tout temps. À chaque mois, tu vas recevoir un relevé indiquant la somme investie pendant le dernier terme, le nombre d'actions achetées et leur prix, la position cumulative des actions, enfin tout. Ces relevés sont très explicites. Tu les classes dans ton dossier et tu regardes croître tes dividendes en pensant au barbier qui est un gars épatant.

– Est-ce qu'ils postent tes actions chaque mois ?

– Non. Pour des raisons pratiques, les actions sont comptabilisées dans les registres du fonds sans pour autant qu'on émette des certificats. Mais si tu désires avoir un certificat d'actions, tu n'as qu'à en faire la demande par écrit.

– Et si tu veux retirer ton argent ?

– Tu n'as qu'à en faire la demande par écrit aussi. Mais tu ne le feras pas avant très longtemps, n'est-ce pas, Mathieu ?

– Sûrement pas, Armand. Je m'informais.

– Et les impôts, Armand ? Est-ce que tu les payes chaque année ?

– C'est un autre des avantages des fonds d'investissement en actions lorsqu'on les compare à de l'argent en banque. Non seulement tu récoltes les profits de l'accumulation par achat périodique et le plus haut taux de rendement à long terme en étant propriétaire indirect de l'entreprise, mais en plus le taux d'imposition est inférieur sur tes gains. Les intérêts sont entièrement imposables, mais les gains en capital, c'est-à-dire la croissance, ne le sont pas. Actuellement, les 100 000 premiers dollars de gain en capital ne sont pas imposables et seulement les 3/4 des gains subséquents le sont. Et tu ne payes aucun impôt jusqu'à ce que tu vendes tes fonds. Donc, ton argent travaille pour toi à temps plein ! De temps à autre, le fonds peut verser un petit dividende qui est entièrement imposable. Mais, avec des fonds de croissance comme ceux que vous achèterez, ce sera un tout petit montant.

En parlant de dividendes, il faut que je vous explique. Les fonds communs rapportent de trois façons. Premièrement, la plupart des fonds de croissance enregistrent un profit quand ils vendent des actions plus cher qu'ils ne les ont payées ; en d'autres mots, quand ils génèrent un gain en capital. La deuxième façon, c'est quand une des actions verse un dividende. La troisième, c'est quand un fonds rapporte des intérets sur des obligations et sur l'encaisse. Au moins une fois par année, les fonds déclarent des dividendes et versent les profits provenant de ces trois sources. Au moment de l'achat, il est primordial que vous avisiez le gestionnaire du fonds de réinvestir vos dividendes sous la forme d'actions additionnelles. C'est là qu'entre en jeu l'effet de l'intérêt composé.

Un dernier point avant de clore le chapitre sur les fonds communs. Une des principales raisons pour lesquelles les fonds communs sont préférables à de l'argent en banque, c'est qu'ils sont beaucoup moins accessibles. Peu d'entre nous avons la volonté de résister à la tentation de puiser dans notre compte de banque, dans nos économies. Le retrait d'un fonds exige l'envoi d'une lettre recommandée et la validation de la signature, ce qui nous donne le temps d'y penser à deux fois. Ces petits inconvénients contribuent grandement à nous décourager.

– Tu dis que les fonds communs sont le premier choix pour investir notre 10 %. Quels sont les autres choix ?

– Éric, mon garçon, il y a des centaines de façons. Tu pourrais acheter de l'or, des porcelaines de Chine, des timbres, etc., mais pour des raisons évidentes, ce ne sont pas de bons choix. Au contraire, les fonds communs sont presque parfaits pour nos épargnes mensuelles.

– C'est-à-dire un fonds commun bien choisi, rectifiai-je.

– C'est-à-dire un fonds commun bien choisi, reprit Armand. Mais il y un autre choix aussi rentable. Mathieu en a parlé tantôt : l'immobilier.

– Mais comment acheter dans l'immobilier avec 200 $ par mois ? demandèrent en même temps Jacinthe et Mathieu.

– Malheureusement, avec seulement 200 $ par mois, c'est impossible. Mais avec 400 $ ou 500 $, c'est très faisable. Par exemple, si les taux des prêts à la consommation et des prêts automobiles sont d'environ 13 %. Donc un emprunt de 20 000 $ pour un terme de cinq ans coûte environ 450 $ par mois. Supposons que tu utilises cet argent comme paiement initial sur un condominium de 80 000 $. Ton hypothèque est de 60 000 $, tu loues le condo 600 $ par mois, plus les services publics et les frais de condo ; et en bout de ligne, ta location paye ton hypothèque. Tes dépenses sont payées par ton locataire. Ton coût se limite au remboursement mensuel de 450 $. Cinq ans après, tu vends ton condo 130 000 $, une somme très réaliste qui représente un rendement composé annuel d'un peu plus de 10 %. Ton prêt à la consommation est remboursé en entier. Il te reste environ 57 000 $ à payer sur ton hypothèque, puisque le loyer mensuel de 600 $ a servi à payer l'intérêt de l'hypothèque. Donc, 130 000 $ moins 57 000 $ font 73 000 $. Il te reste 73 000 $ avant impôt.

– 450 $ par mois qui se transforment en un profit de 73 000 $? Bien voyons ! C'est trop facile, dit Mathieu.

– Non seulement c'est facile, renchérit Jean Louis, mais savais-tu qu'il peut y avoir des avantages fiscaux à utiliser de l'argent emprunté pour acheter des biens immobiliers ?

– Alors, pourquoi est-ce que tout le monde ne le fait pas ? demandai-je.

– Tu serais surpris de savoir combien de gens le font ou font quelque chose de semblable, répondit Armand. On dit que 90 % de tous les millionnaires sont devenus riches grâce à l'immobilier. Mais ne te fais pas d'illusions, ce n'est pas aussi simple. Il y a des problèmes. Le principal problème se produit lorsque la valeur de la propriété décroît au lieu de croître. Pense aux gens de Calgary qui ont acheté des maisons au début des années 1980 et qui ne s'en sont pas encore remis. Dans plusieurs cas, les bénéfices après vente n'ont même pas réussi à couvrir le solde de l'hypothèque. Ils ont perdu de l'argent !

Dans l'immobilier, tout est question de moment opportun. Il n'y a pas d'accumulation par achat périodique, pas de sortie de secours. Donc tu dois faire le bon choix quand tu achètes une propriété. Le gros avantage de l'immobilier, c'est la hausse des prix. Les prix s'effondrent rarement. Dans certains endroits, ils ne baissent même pas.

Mais... Mais il y a un mais. La seule chose qui est pire qu'un mauvais investissement, c'est un mauvais investissement fait avec de l'argent emprunté. Éric, peux-tu t'imaginer en train de dire à Nadia que tu viens de perdre 20 000 $? Un 20 000 $ emprunté en plus ?

– Elle me tuerait, répondis-je sincèrement, la gorge serrée.

– Tu ferais mieux de te suicider, suggéra Mathieu.

– Mais de choisir le moment opportun pour acheter n'est pas tout. Les taux d'intérêt peuvent aussi te nuire. Je sais, pour le moment ils sont assez bon. Mais dans cinq ans, au moment de renouveler ton hypothèque, ils seront peut-être à 18 %. Tout à coup, ton versement d'hypothèque grimpe à 870 $ et à cause de la Régie des loyers tu ne peux pas augmenter ton loyer en conséquence. Et tu te retrouves avec une encaisse négative. Supposons, Jacinthe, que ça arrive au moment où tes affaires vont moins bien. Qu'est-ce que tu fais ?

– Je vends.

– Tu as raison. Mais avec des taux d'intérêt aussi élevés, très peu de gens peuvent se permettre d'acheter. La demande est moins forte et il y en a beaucoup comme toi qui essaient aussi de vendre leur propriété. Tu n'es pas la seule touchée par les coûts de financement plus élevés ! Résultat : ta propriété perd de la valeur. Mais si tu n'as pas d'autre choix que de vendre, tu devras vendre à perte, conclut Armand d'un ton sinistre.

– Armand, reprit Jean Louis, tu les décourages du meilleur investissement au monde! Combien connais-tu de gens qui ont perdu de l'argent dans l'immobilier?

– Je veux seulement les mettre en garde. Il y a des risques.

– C'est bien, mais...

– Minute, minute, laisse-moi finir. Le problème avec l'immobilier, c'est que ce n'est pas un véritable PSS. Trouver les locataires, réparer les toilettes à deux heures du matin, tondre le gazon, faire encastrer des fenêtres et des portes... C'est beaucoup de travail. Il y en a qui adorent ça. Ils sont très habiles et l'immobilier leur permet de jouir de leur passe-temps de façon rentable. Mais si tu n'es pas ce type de personne, fais attention à l'immobilier!

– J'ai jamais encastré une fenêtre, blagua Mathieu, mais j'ai déjà fait castrer mon chat!

Jacques et Hugo ont bien ri.

– Si je comprends bien, tu nous conseilles plutôt les fonds communs?

Ma sœur était assise sur le bord de son siège.

– Au début, oui. Les premières années, avec votre 10 %, je crois que les fonds sont le meilleur investissement. Vous êtes préoccupés par votre carrière, vous voulez fonder une famille, acheter une maison... et l'immobilier exige beaucoup trop de temps. Et puis du point de vue de la diversification, les fonds sont préférables. Vous posséderez probablement bientôt votre maison, alors vous aurez déjà un bien immobilier. À part ça, la plupart des gens entre vingt et quarante ans ne sont pas dans une assez bonne situation financière pour obtenir un prêt pour le paiement initial. Sauf s'ils l'empruntent d'un prêteur privé ou s'ils ont un co-signataire. Et encore, ce n'est pas sûr : la plupart des institutions bancaires et des politiques hypothécaires n'aiment pas les paiements initiaux empruntés. Et puis l'exemption sur les gains en capital ne s'applique plus à l'immobilier : ça c'est plus dur à avaler.

Ce que j'ai fait, et je pense que vous devriez faire la même chose, c'est d'acheter des fonds communs de placement avec le 10 % pendant plusieurs années. Quand j'ai eu un bon coussin, alors seulement j'ai investi dans l'immobilier. D'ailleurs, vous ne voudriez pas mettre tous vos œufs dans le même panier. Grâce à ce coussin, je savais que si les taux d'intérêts montaient ou si les prix de l'immobilier chutaient, je ne serais pas forcé de vendre. Je pouvais me payer le luxe d'attendre. La patience est une vertu qui prend tout son sens dans l'immobilier. Les prix peuvent descendre, mais il remontent toujours.

Mais je vous ai retenus longtemps aujourd'hui, beaucoup plus longtemps que prévu.

Lorsque Armand fit cette remarque, Mathieu et moi avions les cheveux coupés depuis longtemps. En fait, les cheveux de Mathieu avaient déjà eu le temps de repousser. Et les cheveux gris de Jean Louis rejoignaient à présent les nôtres sur le plancher.

– Je veux vous raconter une anecdote avant que vous partiez, dit Armand. – Mais avant tout, avez-vous des questions ?

– Devrions-nous investir dans plus d'un fonds ?

– Eh bien, Jacinthe, les fonds sont déjà très diversifiés, donc je ne crois pas que ce soit nécessaire. Mais ça ne peut pas nuire. Plus tard, quand ton portefeuille d'actions sera très important, tu pourrais vouloir répartir tes titres dans trois ou quatre fonds. Personnellement, je ne l'ai jamais fait.

– Tu parles beaucoup de la façon de choisir un fonds commun de placement, mais comment choisir une propriété ? demandai-je.

– Consulte un professionnel. Nous avons une sommité ici-même en la personne de Jean Louis. À Montréal, Éric, trouve quelqu'un qui a une bonne réputation. C'est facile. Informe-toi. Il y a une pléthore de bons livres sur l'immobilier dans les bibliothèques qui couvrent tous les sujets, de la sélection d'un bon emplacement aux implications fiscales. Pas de questions, Mathieu ?

– Juste une. C'est quoi, une pléthore ?

– Moi, j'ai une autre question, dis-je au-dessus des rires. Qu'est-ce que tu penses des REÉR ? Et puis, juste le paiement de ton hypothèque, est-ce que ce n'est pas une bonne façon d'investir ton 10 % ?

– Ce sont d'excellents investissements et nous en reparlerons dans les prochains mois. Mais le 10 %, c'est différent. C'est notre assurance-richesse, notre seule garantie de posséder un jour tout ce que la vie peut offrir de bon : une Mercedes, un chalet d'hiver, une retraite anticipée, ou dans le cas de Mathieu : une petite amie. Et la beauté de la chose, c'est sa simplicité. Ce petit sacrifice est à peine perceptible. En épargnant 10 % de votre paye maintenant, vous assurez la liberté financière de votre avenir. Seulement un fou refuserait ça. Donc, commencez dès maintenant et n'arrêtez pas !

– Comme le disait si bien Confucius, *il faut savoir tirer profit de l'expérience des autres*, renchérit Jean Louis. Il ne suffit pas de penser au 10 %, il faut agir !

– Avant de partir, j'ai une anecdote pour vous, reprit Armand. Éric, écoute particulièrement bien, parce que le héros est aussi un enseignant.

Il y a trois ou quatre ans, un gars, le professeur en question, est venu au salon. Il m'a dit qu'il n'était pas ici seulement pour une coupe de cheveux ; il venait aussi parce qu'il avait entendu dire que j'étais un expert en planification financière. Il voulait m'envoyer son fils de vingt-deux ans pour que je lui enseigne les principes de la planification financière.

« Je n'y connais rien aux assurances, aux actions, à l'immobilier », m'avoua-t-il. « Tout ce que je sais, c'est qu'il faut épargner 10 % de ses revenus et l'investir à long terme. Le reste, c'est du chinois. » Le père du professeur était un vieil ami de monsieur Desmarais et il lui avait appris le secret. Mais contrairement à moi, le professeur n'avait pas poursuivi ses recherches. Comme il le disait, il ne connaissait rien aux assurances et aux investissements. Pire, j'ai appris au cours de la conversation qu'il avait abusé des cartes de crédit, qu'il n'avait pas de REÉR et qu'il avait perdu à la Bourse les 15 000 $ dont il avait hérité.

– Armand, c'est une histoire très triste, je dirais même une histoire très décourageante, dit Mathieu.

– Au moment de notre rencontre, les avoirs nets de cet enseignant se chiffraient à 650 000 $. De cette somme, peut-être 150 000 $ représentaient la valeur de sa maison et de ses avoirs personnels. Le reste provenait du fonds de placement, des 10 % économisés chaque mois. De plus, sa femme n'avait travaillé que quatre ans de temps.

– Il a tout mal fait le reste, commença Jacinthe, mais ...

– Mais parce qu'il avait économisé 10 % sur chaque chèque de paye et qu'il l'avait investi à long terme, aujourd'hui il jouit d'une très bonne situation financière, conclut Armand en se dirigeant vers le comptoir.

Une seconde plus tard, il y eut deux déclics. Armand s'est retourné vers ma sœur et lui a tendu une cassette de la conversation.

– J'ai pensé que ça pourrait être utile à ceux qui ne prennent pas de notes, dit Armand en me regardant.

– Bien, dis-je. Comme ça, Jacinthe n'aura pas à transcrire toutes ses notes pour nous. Eh bien,

Armand, qu'est-ce que tu nous réserves le mois prochain?

– Pour le moment, commencez donc par mettre en pratique ce que je vous ai appris! répondit-il.

Au moment où nous allions sortir, Mathieu lança à la blague, assez fort pour qu'Armand l'entende:

– C'est encourageant de savoir qu'Armand est si riche. Pensez-vous qu'on l'insulte en offrant de payer les coupes de cheveux?

– Ah! les jeunes, répondit Armand, vous avez encore tout à apprendre!

5

TESTAMENTS, ASSURANCES-VIE ET RESPONSABILITÉS

– Eh bien! fit Armand au moment où nous rentrions de la rue et du soleil. Un mois déjà depuis la dernière fois? Il me semble que vous étiez là la semaine dernière.

– Le temps passe vite, à ton âge, dit Mathieu.

– Jacinthe, tu es resplendissante comme toujours. Pas toi, Mathieu. Hé, Éric, à quand les vacances? Ce doit être pour bientôt.

– Nadia et moi serons à Montréal jusqu'à la mi-juillet, puis nous passerons cinq semaines à la maison d'été que nous avons louée au Lac Brome. Armand, tu devrais venir un soir, nous ferions un barbecue... Mais ne le dis pas à Hugo.

J'avais parlé assez fort pour qu'Hugo m'entende. Il a souri et m'a salué en retirant sa casquette.

– Armand, tu vas être vraiment fier de nous, dit Jacinthe, toujours la première à revenir aux choses sérieuses. Nous avons tous les trois commencé à épargner le fameux 10 %.

– Excellent! Avez-vous utilisé le programme de prélèvements automatiques pour acheter des fonds communs? demanda Armand.

– Jacinthe et moi, oui, répondis-je. Mathieu a choisi une autre façon. Mais, avant qu'il vous en parle, j'ai quelque chose à vous raconter. Au travail, j'ai raconté à d'autres professeurs ce que tu nous avais dit. Ils étaient surpris d'apprendre la magie de l'intérêt composé. Même les professeurs de mathématiques étaient stupéfaits ! Je leur ai expliqué pourquoi un plan mensuel d'achat de fonds communs était une si bonne affaire : l'accumulation par achat périodique, l'épargne forcée, la croissance à long terme... Et même le PSS. Enfin, tout. La plupart étaient vraiment intéressés. Mais quelques-uns étaient sceptiques. Puis Louise Laberge, directrice du département de français, a parlé. Elle a raconté qu'il y a quinze ans, elle avait utilisé un programme de prélèvements automatiques (après un dépôt initial de 500 $, c'était 100 $ par mois) pour acheter un fonds de croissance bien coté. Elle y a toujours réinvesti ses dividendes sans jamais retirer un sou. Aujourd'hui, son fonds vaut environ 85 000 $! Avec seulement 100 $ par mois pendant quinze ans ! Je vous dis que ça les a impressionnés ! Quand un des professeurs qui est dans la quarantaine lui a demandé s'il était trop tard pour lui, Louise lui a répondu : « Le meilleur temps pour planter un chêne, c'était il y a vingt ans. L'autre meilleur moment, c'est aujourd'hui. » Bonne réplique, non ?

– Je n'aurais pas pu dire mieux moi-même, approuva Armand. Évidemment, si tu commences jeune, les bénéfices seront considérables. Mais ils le seront autant si tu commences aujourd'hui. Ah ! c'est certain, tu n'épargneras pas autant d'argent en commençant plus tard, mais une personne de quarante-cinq ans peut quand même épargner une très grosse somme. Regarde ce que ta consœur a économisé en seulement quinze ans avec un montant mensuel plutôt petit.

– Moi-même, j'étais dans la quarantaine quand j'ai commencé et ça m'a assez bien réussi, ajouta Hugo.

– Et puis, Mathieu, de quelle façon as-tu investi ? demanda Armand.

– Eh bien, Armand, je sais que durant les premières années tu recommandes d'investir dans les fonds communs plutôt que dans l'immobilier, mais j'ai eu une occasion que je ne pouvais pas laisser passer.

J'ai parlé à mon frère de ce que tu nous avais dit et il était vraiment emballé. Il a proposé que nous achetions la maison à côté de la sienne, qui était en vente depuis deux mois. Elle est petite et elle nécessite beaucoup de travaux, mais elle offre d'immenses possibilités. Benoît a dit que si nous l'achetions ensemble, il ferait l'entretien extérieur et les rénovations. De mon côté, j'aurais à trouver un locataire responsable et à m'occuper de la comp-tabilité. Nous avons demandé à Jean Louis de venir y jeter un coup d'œil et il est d'avis qu'à cause de la proximité de l'eau, de la grandeur du lot et du bon voisinage, la propriété était sans aucun doute sous-évaluée... Nous allons signer les papiers le mois prochain.

Nous allons emprunter 24 000 $ sur cinq ans. Ça va nous coûter 270 $ par mois chacun. Nous prenons 20 000 $ pour le paiement initial et l'autre 4 000 $ pour les réparations. L'hypothèque est de 57 000 $. Le capital, l'intérêt et les taxes foncières montent à environ 670 $ par mois.

– Avez-vous trouvé un locataire ? demanda Armand.

– C'est ça le plus beau, Armand, répondit Mathieu avec empressement. Olivier Barrette et sa femme ont signé un bail de trois ans de 680 $ par mois, excluant les services publics.

– C'est vraiment une bonne affaire, Armand, intervint Jean Louis. D'ici cinq ans, je ne serais pas surpris si la valeur de la propriété passait à 140 000 $. Ils ont un bon locataire, une encaisse équilibrée, un faible taux d'intérêt et Mathieu, qui ne sait même pas planter un clou, n'aura pas à se salir les mains.

– Tu m'impressionnes, Mathieu. Mais je pense toujours que pour la plupart des jeunes gens, les fonds communs restent le meilleur choix. Mais il ne faut jamais dire « jamais ». Mathieu en est un bon exemple.

– Merci, Armand. C'est bizarre, mais après seulement un mois, tous les trois nous respirons déjà mieux du point de vue financier. Pour la première fois de ma vie, je crois sincèrement que je serai riche un jour. C'est merveilleux.

– Eh, Armand! Tu sais quoi? dit Jacinthe avec un beau sourire. Tout se passe comme tu l'avais prédit.

– Ne t'enfle pas la tête, Armand. Peut-être que tes conseils étaient excellents, mais je n'aime pas du tout ma coupe de cheveux, dis-je à la blague.

– O.K. Je vais m'acheter un nouveau bol à soupe, lança Armand du tac au tac. Êtes-vous prêts pour la deuxième leçon? Je vous avertis que c'est moins passionnant.

– Et moins long aussi, j'espère, ajouta Mathieu.

– Et moins long, confirma Armand. C'est différent, mais c'est aussi important. Nous allons étudier la planification successorale. Vous savez, les testaments, l'assurance-vie; toutes les choses les plus intéressantes de la vie, quoi!

– Dire que j'ai attendu ça pendant un mois, marmonna Jacinthe.

– Je sais que les testaments et les assurances ne sont pas très excitants, mais ils sont très importants. D'ailleurs, c'est là que les gens commettent le plus d'erreurs. Plus de la moitié des gens que je connais n'ont même pas de testament. C'est tout à fait ridicule! Et les assurances? Ils ont de mauvaises polices, avec un capital-décès inadéquat. Souvent, ils ont même assuré la mauvaise personne!

– Ouais ! J'ai lu un article l'autre jour qui disait que les Canadiens étaient trop asssurés, dis-je en pensant, pour une fois, être bien informé.

– Faux, répliqua Armand. Archi-faux. Per capita, on est le pays le plus assuré, ce qui n'est pas synonyme de sur-assuré. La plupart des Canadiens ne sont pas trop assurés. Évidemment, quelques-uns le sont, mais la majorité est même sous-assurée, parfois de façon alarmante.

Mais nous reviendrons aux assurances un peu plus tard. D'abord, je veux parler des testaments.

Tu sais, la planification successorale n'est rien d'autre que les dispositions que tu prends avant de mourir pour être sûr qu'on s'occupera bien des personnes et des choses auxquelles tu tenais. Tu veux que ton *patrimoine*, c'est-à-dire ton actif moins ton passif, plus le montant de tes assurances, fournisse le capital nécessaire pour exécuter tes dernières volontés. Ton testament doit faire en sorte que ce capital sera partagé selon tes désirs. On ne peut pas surestimer l'importance d'avoir un testament à jour. Contrairement à la croyance populaire, si tu mourais sans avoir fait de testament, les choses ne se passeraient pas automatiquement comme tu l'aurais souhaité. Et les conséquences pourraient être désastreuses.

Éric, si ton père mourait demain *ab intestat*, que se passerait-il ?

– *Ab intestat* ? demandèrent en chœur Jacinthe et Mathieu.

– *Ab intestat*, du latin *intestatus*, décéder sans testament, répondit Armand. Alors, Éric ?

– Ma mère hériterait de tout ? dis-je en haussant les épaules.

– Non, je te parie que c'est la Cour qui déciderait, répondit Jacinthe d'un ton assuré. Le juge tiendrait compte du nombre d'enfants, de leur âge, etc.

– Vous avez tort tous les deux, répliqua Armand. En l'absence de testament, le patrimoine est partagé selon les règles très strictes du Code Civil. On ne tient pas compte de ce que la personne décédée aurait souhaité ou des besoins des héritiers potentiels. Par exemple, si l'époux survivant a besoin de beaucoup d'argent pour payer des frais médicaux, la succession est quand même distribuée selon la loi.

Si ton père décédait le premier sa succession serait divisée comme suit : 1/3 à ta mère et 2/3 aux enfants.

– Dans notre cas, le reste serait de 1/3 chacun, conclus-je.

– Exactement! Enfin, je pense que tu serais d'accord avec moi pour dire que les dernières volontés de ton père seraient que ta mère hérite de tout et que par la suite, à sa mort, les enfants héritent à leur tour. Qui sait, elle pourrait avoir besoin de tout l'argent?

– Vous êtes mieux d'espérer que votre père n'ait pas de testament, plaisanta Jacques.

– Les dons de charité, reprit Armand, les bourses d'étude, les cadeaux pour les petits-enfants et les filleuls, tout ça tomberait à l'eau s'il n'y avait pas de testament. Jacinthe, même si tu es célibataire, tu devrais avoir un testament. Si tu mourais demain, la moitié de ta successsion irait à tes parents et l'autre moitié à ton frère. C'est peut-être ce que tu veux, mais j'en doute.

– Tu as raison. J'aimerais laisser la majeure partie de mes biens à Éric et à Nadia. Je crois qu'ils ont plus besoin d'argent que papa et maman. J'aimerais aussi laisser quelque chose aux œuvres de charité. Et puis, Éric et Nadia m'ont demandé d'être marraine. Je n'y avais jamais pensé, mais j'ai vraiment besoin d'un testament!

– Moi aussi, dis-je. À ma mort, je veux être certain que tous mes biens iront à Nadia et que ma succession ne sera pas gelée en fiducie pour des années.

– Même moi, j'ai besoin d'un testament, réfléchit Mathieu. Je ne suis pas très près de mon père, mais ça n'a pas d'importance : il n'a pas autant besoin d'argent que mon frère et ma sœur.

– N'oublie pas ton meilleur ami, dis-je.

– Très bien, très bien. Ce n'est pas nécessaire d'énumérer toutes les raisons de faire un testament, reprit Armand. Sinon, vous allez être ici plus longtemps que le mois dernier. Tout le monde a besoin d'un testament. Sans compter tous les problèmes occasionnés par l'absence de testament pour les conjoints de fait et les partenaires d'affaires. C'est assez apeurant.

– Comment on fait son testament ? demanda Jacinthe.

– D'abord, on ne le fait pas soi-même. Consulte un professionnel. La majorité des avocats et des notaires ont l'expérience nécessaire. Avant d'y aller, établis ta succession et décide du partage de tes biens. Si tu es mariée, fais-le avec ton conjoint. Finalement, choisis un exécuteur testamentaire. C'est la personne ou la société de fiducie qui s'assurera d'exécuter les instructions de ton testament. L'exécuteur s'occupe des arrangements funéraires, il s'occupe d'aviser les bénéficiaires, de remplir le formulaire de demande pour le Régime des rentes du Québec, de remplir la déclaration d'impôt et tous les autres documents. C'est beaucoup de travail.

Donc, si tu choisis un particulier comme exécuteur, assure-toi qu'il demeure près de chez toi. Ce serait injuste de demander à ton cousin Gérard de traverser tout le pays pour s'occuper de tes affaires. Le règlement de ta succession risque de demander plusieurs voyages. Ensuite, choisis quelqu'un de ton âge ou de plus jeune que toi. Ce serait ridicule de

75

demander à ton père ou à une vieille tante d'être ton exécuteur, parce que selon toute probabilité il ou elle va mourir avant toi. Ne t'empresse pas surtout de nommer ton conjoint! S'il n'a aucun talent de gestion, tu pourrais sans doute faire un meilleur choix. Et puis, ton conjoint aura déjà assez de peine, sans avoir à faire en plus tout le travail d'un exécuteur. Dans ce cas, les co-exécuteurs sont une bonne solution. En fait, le choix parfait serait le conjoint et un ami qui possède une expérience financière. Encore deux choses sur le choix de l'exécuteur : d'abord, pour des raisons évidentes, choisis quelqu'un d'honnête et de fiable; ensuite, n'oublie pas de prévoir d'autres exécuteurs au cas où le premier refuserait ou ne pourrait pas remplir son rôle le moment venu.

– Eh bien, tu avais raison, Armand, commenta Mathieu.

– Sur l'importance des testaments ?

– Non. Quand tu disais que ça ne serait pas aussi intéressant que le mois dernier.

– Ah! Ah! En fait, la partie sur les assurances est très intéressante. Mais laisse-moi d'abord en finir avec les testaments.

Il faut aussi considérer que le processus de planification successorale peut être compliqué. Il y a l'impôt sur un fort gain en capital, le fait d'être à son compte, les divorces, les pensions alimentaires, les remariages, etc. Assure-toi d'aviser ton conseiller juridique de tout problème potentiel. Il saurait faire face aux problèmes classiques, comme la mort simultanée des conjoints, mais ce n'est pas un devin. Il ne peut pas connaître tous les détails pertinents de ta vie si tu ne les lui dis pas.

Autre chose, rappelle-toi que tu dois toujours avoir un testament à jour. Avise ton conseiller des naissances, des décès, des divorces, des transactions d'affaires et de tout ce qui pourrait rendre ton testament obsolète. Révise ton testament au moins une fois l'an et, pour l'amour de Dieu, assure-toi que les exécuteurs savent où tu le gardes! En fait, remets-leur chacun une copie et garde-en une autre chez ton conseiller.

Garde toujours un bilan à jour de tes actifs et passifs et une copie de ton testament dans un coffret de sûreté à la banque. Il y a dix ans, un de mes amis est décédé et on a appris seulement l'an dernier qu'il avait des actions dans plusieurs grandes sociétés. Les certificats étaient enregistrés au nom de la société de courtage et gardés dans un compte. La société n'avait jamais été avisée de son décès. Un avocat m'a dit que ça se produit souvent.

– Combien coûte un testament? demandai-je.

– Un testament simple, comme celui dont la plupart d'entre nous avons besoin, coûte de 100 $ à 250 $. Quand on pense à l'importance du document, ce n'est vraiment pas cher.

Ce n'est pas une question d'argent. C'est que la plupart des gens se disent : « Pourquoi faire aujourd'hui ce qu'on peut remettre à demain? » On sait tous qu'on va mourir un jour, mais on refuse d'admettre que ça pourrait être bientôt. Résultat, on reporte la rédaction de son testament aux calendes grecques. Mais pas vous trois! Savez-vous pourquoi j'en suis aussi sûr?

– Parce que nous sommes des gens responsables? avança Mathieu.

– Non. Parce que le mois prochain, vous allez m'apporter la copie de la facture de votre conseiller pour me prouver qu'il vous a fait un testament. Sinon, la source de vos connaissances se tarira soudainement.

– Armand! protesta Jacinthe. On n'est plus des enfants.

– Parle pour toi! rugit Mathieu.

– Nous avons tous commencé notre programme du 10 %, et sans y être forcés, n'est-ce pas ? insista Jacinthe.

– C'est bon, Jacinthe, c'est même très bon. Mais apporte-moi quand même la copie de la note d'honoraires, recommanda Armand au-dessus des rires de Jean Louis.

C'est vrai que j'ai la manie de tout remettre au lendemain, mais je n'avais pas besoin qu'Armand me force la main pour agir. Après avoir entendu parlé de la Loi testamentaire, je me suis dit que seulement un fou ne ferait pas de testament. Cent dollars, c'est peu comparé à ce qui est en jeu.

– En résumé, conclus-je à vois haute, si quelqu'un n'a pas de testament, ses survivants en souffrent. Je ne ferai sûrement pas subir ça à ma famille.

– Bien dit, Éric. Mais apporte-moi quand même la note d'honoraires le mois prochain.

– Armand m'a fait la même chose, dit Hugo. Moi aussi, il m'a traité comme un enfant. Tu sais ce que j'ai fait pour me venger ? Je lui ai légué mon petit chien.

– Je ne peux pas le croire, se moqua Jean Louis.

– C'est vrai. Tu peux demander à Armand.

– Non. Pas l'histoire du chien. Ce que je ne peux pas croire, c'est que tu connaisses le sens du mot léguer !

– Cela me peine d'interrompre votre brillante conversation, mais il nous reste encore beaucoup de terrain à couvrir.

L'invervention d'Armand fit taire les deux Ding et Dong de Bromont.

– Au sujet des assurances, reprit Armand, je vous demanderais d'apporter une très grande attention au reste de la leçon d'aujourd'hui. Premièrement, l'avenir financier des vôtres peut dépendre du montant de votre assurance-vie. Deuxièmement, votre propre avenir financier peut dépendre du choix de votre assurance-vie. Troisièmement, il y a de fortes chances que Jean et moi soyons les deux seules personnes avec une connaissance exhaustive des assurances qui soient prêtes à la partager avec vous. Quatrièmement, mon magnétophone à cassette est défectueux.

– Que penses-tu des agents d'assurances? demanda Jacinthe.

– Tu bla...

– Minute, minute, Jean, intervint Armand. On y reviendra. Pour le moment, disons seulement qu'il y a de bons et de moins bons agents.

– Plusieurs pas bons, grogna Jean Louis.

– Peut-être, acquiesça Armand. Mais, c'est vrai dans tous les métiers. Le problème avec les assurances, c'est que la plupart des gens sont si mal informés qu'ils ne peuvent même pas faire la différence entre un bon et un mauvais agent. Si je coupais mal les cheveux, vous cesseriez de venir ici, n'est-ce pas?

– Et pourtant, nous venons toujours...

– Très drôle, Éric. Mais avec l'avis d'un agent d'assurances, c'est différent. Seulement un observateur averti peut déterminer sa compétence. Donc, la réponse est simple : deviens un observateur averti! Ce n'est pas tellement difficile, vous allez voir.

Jacinthe, pourquoi est-ce que les gens achètent de l'assurance-vie?

– Qu'est-ce que tu veux dire? fit-elle, surprise d'être prise à partie.

– Rien d'autre que ce que j'ai dit. Pourquoi est-ce que les gens achètent de l'assurance-vie?

– Je suppose... commença-t-elle, que si tu meurs prématurément, tu veux que ton conjoint et tes enfants aient suffisamment d'argent.

– Tu brûles. Les gens achètent, disons plutôt, devraient acheter de l'assurance-vie pour qu'à leur mort, leur patrimoine (encore une fois : leur actif

79

moins leur passif) plus le montant de l'assurance-vie permettent de régler leurs affaires financières et assurent un certain niveau de vie à leurs héritiers. C'est simple, non ?

Il y eut un « oui » général.

– Très bien, fit Armand en se tournant vers ma sœur. Jacinthe, en gardant tout ça en tête, de quel capital-décès as-tu besoin ?

– Je viens de contracter une police avec un capital-décès de 50 000 $.

– Je ne t'ai pas demandé le capital-décès de ta police, mais le montant dont tu avais besoin, corrigea Armand poliment.

– Apparemment, pas de 50 000 $, dit-elle en fronçant les sourcils. Je ne sais pas... Je suppose...

– De combien auraient besoin les personnes à ta charge ? demanda Armand.

– Je n'ai personne à ma charge, répondit ma sœur, perplexe.

Armand hocha la tête lentement, *très lentement*.

– Ah ! fit Jacinthe. Es-tu en train de me dire que je n'ai pas besoin d'assurance-vie ?

– C'est exactement ce que je suis en train de te dire. L'assurance-vie, c'est formidable ; c'est sans contredit le plus important des arrangements financiers. C'est impératif jusqu'à tant qu'on ait acquis un patrimoine suffisant pour protéger les personnes à sa charge. Achetée judicieusement, elle assure, en cas de mort prématurée, à un coût relativement faible, le niveau de vie désiré aux personnes à ta charge. En fait, l'assurance-vie pourrait s'appeler *protection financière supplémentaire* pour les personnes à charge, ou *salaire de remplacement*. Malgré tout, tu dois te rappeler que c'est encore une dépense. Les compagnies n'offrent pas d'assurances gratis. Alors, comme tout ce qui coûte de l'argent, tu dois t'en procurer seulement si tu en as besoin.

Pense par exemple à l'assurance-automobile. Ça aussi, c'est une bonne chose... à condition d'avoir une voiture. C'est aussi ridicule d'acheter de l'assurance-vie si tu n'en as pas besoin.

– Est-ce que je ne devrais pas avoir au moins un montant suffisant pour payer mon enterrement ? demanda Jacinthe.

– En plus de prévoir pour les personnes à ta charge, ton patrimoine et le montant de tes assurances réunis doivent être suffisants pour régler tes affaires financières. Ce qui comprend le paiement de tes dettes, de tes impôts, de ton enterrement et, s'il y a lieu, l'accommodement de tes partenaires d'affaires et de tes employés. Si ton patrimoine est suffisant pour couvrir tout ça, tu n'as pas besoin d'assurance-vie. C'est le cas pour la plupart des célibataires.

– Hem !... reprit Jacinthe lentement. Mon actif est définitivement supérieur à mon passif plus mes frais d'enterrement. Il resterait de l'argent.

– Le mien aussi, réalisa Mathieu. Présentement, je n'ai pas de dette. Au travail, j'ai une assurance-groupe de 25 000 $; ça devrait suffire pour payer mon enterrement.

– 25 000 $! C'est tout un enterrement, s'exclama Hugo. J'ai bien hâte de voir ça, Mathieu.

– En théorie, ça me semble très bien, Armand, mais j'ai quand même quelques questions, insista Jacinthe. Quand j'ai contracté mon assurance la semaine dernière, l'agent m'a persuadée que même si je n'avais aucun dépendant, c'était la bonne chose à faire. Il m'a donné plusieurs raisons dont certaines semblaient justifiées. La première, c'est que ma police est aussi une façon d'épargner en vue de ma retraite. La deuxième, c'est que l'assurance coûte moins cher quand on la prend jeune. La troisième, c'est que je devrais m'assurer maintenant pendant que je suis

81

assurable. Je ne suis pas certaine que dans cinq ans, si j'en avais besoin, je pourrais souscrire.

– Ridicule, ridicule et ridicule, murmura Jean Louis.

– Franchement, Jean a raison, concéda Armand. Ces raisons ne tiennent pas debout. Tu vas voir pourquoi tantôt. En fait, si tu es attentive, tu pourras expliquer toi-même pourquoi chacune de ces raisons est « ridicule ». Pour le moment, restons-en à l'analyse de vos besoins d'assurances. Mathieu, de quel montant ai-je besoin, moi ?

– Aucun. Ton patrimoine est suffisant pour mettre ta femme et tes enfants à l'abri du besoin. Après tout, tu es le riche barbier, répondit Mathieu.

– Sapristi, je pense qu'il a compris ! dit Armand en se tournant vers moi.

– Éric, quel montant d'assurances devrais-tu prendre sur la tête de ton enfant ?

– Aucun. Le bébé n'a pas de personne à sa charge, répondis-je.

– Très bien, approuva notre professeur. Même si nous les aimons, les enfants sont des charges financières, pas des actifs. Tu n'assures pas une charge financière ! Par exemple, si un de tes oncles déménageait chez toi, mangeait à ta table, buvait ta bière et regardait ta télé toute la journée, est-ce que tu l'assurerais ? Bien sûr que non ! Puisqu'il serait une charge financière. Je sais que certains parents pourraient ne pas aimer cette comparaison, mais j'espère que vous comprenez ce que je veux dire.

Tu achètes de l'assurance seulement quand tu en as réellement besoin pour protéger les personnes à ta charge et aider à régler tes affaires financières. Le plus souvent, les célibataires n'ont pas besoin d'assurances. Au contraire, les jeunes couples mariés, particulièrement ceux qui ont des enfants, ont presque toujours besoin d'assurances. La question qu'ils devraient se poser n'est pas : « Avons-nous besoin d'assurances ? », mais : « De combien avons-nous besoin ? » Et la réponse est souvent : « Plus que nous pensions. »

En fait, sans compter tes actifs autres que tes investissements, ton patrimoine plus le montant de tes assurances devraient fournir assez de capital pour faire plusieurs choses. Premièrement, payer toutes tes dettes. La dernière chose dont ton conjoint a besoin, c'est d'être criblé de dettes. Deuxièmement, libérer suffisamment de capital pour couvrir les obligations forfaitaires futures. C'est une chose qu'on oublie trop souvent, les frais d'enterrement par exemple. Un meilleur exemple serait les dépenses pour les études des enfants. Ça coûte cher d'envoyer les enfants au collège ou à l'université. Même si l'enfant défraye une partie des coûts, il peut avoir besoin d'aide. Cet argent doit venir de quelque part. Il faut y penser au moment d'analyser ses besoins en assurances. Troisièmement, le capital et les autres sources de revenus doivent générer suffisamment de liquidités pour soutenir les personnes à ta charge. Supposons qu'après ta mort, ta famille ait besoin de 40 000 $ par année pour vivre confortablement. Or, tu réalises que les revenus ne provenant pas d'investissements ne seront que de 10 000 $. Donc, ton patrimoine et le montant de tes assurances devraient fournir un capital suffisant pour générer l'autre 30 000 $ par année. À combien devraient-ils se chiffrer ? C'est précisément là que les gens se trompent. Ils tiennent pour acquis qu'ils reçevront toujours un rendement garanti de 10 % sur leur argent. Ces suppositions les amènent à penser qu'ils ont besoin d'un fonds total de 300 000 $.

– J'avoue que je pense comme eux, confessai-je.

– L'ennui, c'est que tu ne peux jamais être sûr d'obtenir un rendement de 10 %. Quand il s'agit de tes proches, il est préférable d'être conservateur. Je baserais plutôt mes calculs sur un rendement de

83

8 %. Alors pour générer un montant de 30 000 $ par année, tu aurais besoin d'un fonds total de 370 000 $ au lieu de 300 000 $.

La dernière chose que le patrimoine et le montant des assurances doivent couvrir est souvent totalement omis par les gens, c'est l'inflation ! L'inflation est l'ennemie numéro un des veufs et des veuves. Prenons un programme d'assurances conçu afin que la veuve reçoive un revenu annuel de 35 000 $. Le problème, c'est que tout le 35 000 $ est nécessaire pour faire vivre la famille. Il n'y a plus aucune possibilité d'épargne. Dix ans plus tard, il se pourrait que ce même 35 000 $ ne représente plus que 15 000 $ en pouvoir d'achat. Alors la femme, qui est dans la quarantaine et qui n'a aucune formation professionnelle, est forcée de retourner au travail, mais la famille a toujours de la difficulté à survivre. Peu probable ? C'est pourtant ce qui est arrivé à la tante de ma femme, et à trop d'autres gens. L'effet d'érosion de l'inflation sur le pouvoir d'achat est aussi important que l'effet de croissance de l'intérêt composé sur l'épargne mensuel. Il faut en tenir compte. Si ça signifie augmenter ses assurances de 100 000 $, eh bien, augmentons-les...

Éric, prenons ton cas. Transportons-nous à l'année prochaine. Vous avez acheté votre maison. Vous êtes des parents heureux. De quel montant d'assurances avez-vous besoin ? Quel montant d'assurance-vie devrais-tu acheter pour Nadia ?

– Le fonds de paiement initial envolé pour l'achat de la maison, nous n'aurons aucun autre investissement. Donc, le capital-décès devra couvrir les besoins de Nadia et du bébé.

– Bien, commenta Armand. Continue.

– D'abord, nous aurons besoin d'un montant forfaitaire pour payer nos dettes. Je devrais dire notre dette. Notre seule dette sera l'hypothèque de, disons, 80 000 $. Ensuite, les futures obligations forfaitaires... Hem... Le collège de Junior, l'enterrement et d'ici deux ans une nouvelle voiture.

– Une somme de 15 000 $ devrait suffire largement pour payer les études. L'argent sera investi et fructifiera pendant dix-huit ans, expliqua Armand.

– Ajoutons 10 000 $ pour l'enterrement et 15 000 $ pour la voiture. Les obligations forfaitaires montent à 40 000 $. Puis il faut un revenu suffisant. Tu sais, je ne veux pas que Nadia soit obligée de travailler à l'extérieur... Surtout avant que l'enfant n'aille à l'école. Donc, je tiens pour acquis qu'après ma mort, elle continuera de gagner 10 000 $ comme journaliste à la pige. Mais pour vivre à l'aise, elle aura probablement besoin de 30 000 $ par année. Sans dette et sans loyer à payer, ça devrait être assez.

– Tu sais ce que je ferais à ta place, Éric ? suggéra Jacinthe. Si elle peut vivre à l'aise avec 30 000 $, j'augmenterais mes assurances pour lui garantir un revenu de 33 000 $. Sais-tu pourquoi ? Parce qu'elle pourrait continuer d'épargner le 10 % sans diminuer son niveau de vie.

– Vous savez, les enfants, vous n'êtes pas aussi lents que votre père l'avait dit, déclara Armand. C'est une très bonne idée, Jacinthe. Éric voudrait certainement que Nadia puisse non seulement vivre à l'aise, mais aussi s'offrir des petites douceurs. Eh bien... Vous savez maintenant comment elle le pourra !

– 33 000 $? Affaire conclue, dis-je. Armand, avec un rendement de 8 %, pour assurer un revenu de placement de 23 000 $ par année, j'ai besoin de quel montant d'assurances ?

– À quelques dollars près, tu aurais besoin de 287 000 $, répondit Jean Louis en montrant fièrement à Hugo sa montre calculatrice.

– Quant à l'inflation, je ne pense vraiment pas que j'aurai besoin d'un si gros montant. En sachant que Nadia économise toujours 10 % et qu'elle retourne travailler à l'agence quand le bébé est un peu plus vieux, elle devrait bien s'en tirer.

– Excellent, Éric, dit Armand. La dernière remarque sur l'inflation était pertinente. C'est le genre d'analyse que nous devons tous faire sur nos besoins en assurances. Il ne faut pas être sous-assuré, mais il ne faut pas non plus être sur-assuré. Alors, sais-tu maintenant de combien d'assurances tu as besoin ? De 407 000 $.

J'étais abasourdi.

– Mais il ne pourra jamais payer ses primes ! s'exclama Mathieu qui, pour une fois, semblait vraiment préoccupé.

– Mes héritiers recevraient 25 000 $ de mon assurance groupe, mais ils auraient encore besoin d'un peu moins de 400 000 $. Il faut que j'achète plus d'assurances ! Les primes vont me tuer !

– Éric, tu te trompes, répondit Armand. Si tu achètes la bonne assurance, tes primes seront très raisonnables. Mais pour l'instant, restons-en aux montants. En partant des mêmes besoins, la maison, le bébé, etc., quel capital-décès devrais-tu prendre sur la vie de Nadia ?

– Nadia ne travaillant plus à l'agence de voyage, notre revenu familial ne serait diminué que des 10 000 $ qu'elle gagne en vendant ses articles à des journaux. Par contre, les dépenses diminueraient, car il y aurait une personne de moins à ma charge. Puisque mes revenus sont assez bons, je dirais zéro. Aucune assurance sur la vie de Nadia.

– Oui, c'est très logique, Éric, concéda Armand, mais...

– Mais ?

– Mais deux choses. Premièrement, assurez toujours les deux conjoints pour au moins le montant des dettes à payer. Dans ton cas, pour les 80 000 $ d'hypothèque. Un bilan sans dette réduit considérablement le stress et libère l'encaisse. Tu sais, élever un enfant, payer une hypothèque et maintenir un bon niveau de vie ne serait pas facile à faire avec un seul salaire. Et puis, tu as oublié deux dépenses suite au décès de Nadia : les frais d'enterrement de 10 000 $ et les frais de garderie pour l'enfant. Si tu n'as pas de dette, tu n'auras pas à remplacer complètement le revenu de Nadia. D'accord, mais les frais de garderie ?

– Donc, j'aurais probablement besoin d'un capital-décès de 200 000 $ sur la vie de Nadia. 80 000 $ pour l'hypothèque, 10 000 $ pour l'enterrement et le reste pour une gardienne pendant quelques années.

– Ce que j'ai dit ne s'adressait pas seulement à Éric, dit Armand. C'est aussi pour vous deux qui avez l'air de vous ennuyer mortellement. Il y a peut-être quelque part une femme assez folle pour épouser Mathieu et un homme encore plus fou pour endurer Éric comme beau-frère. Vous pourriez tous les deux avoir besoin d'assurances. À ce moment-là, vous devriez être capables de calculer le montant exact dont vous avez besoin. Comment ? En vous rappelant les quatre besoins à combler en assurances et en utilisant votre bon sens.

– Armand, je vais en parler à mon frère demain, dit Mathieu em secouant la tête. Mon frère a deux jeunes enfants et une femme. Je suis certain qu'il n'a pas assez d'assurances. Il n'a qu'une couverture de 150 000 $ à son travail.

– Tu pourrais lui rendre le plus grand service de sa vie... À lui ou à sa famille, reprit Armand. Avant de parler des autres assurances, laissez-moi vous donner trois exemples, trois situations auxquelles vous pourriez être confrontés dans l'avenir.

Premièrement, les deux époux travaillent et font de bons salaires. Ça pourrait arriver, par exemple, si Jacinthe mariait un médecin. Ils analysent leurs besoins et décident que si l'un ou l'autre mourait, le survivant pourrait s'en tirer sans problème financier et sans assurances. Leur maison est payée et le revenu du survivant suffirait pour combler les besoins des enfants. Qu'est-ce qui cloche là-dedans ?

Durant quelques secondes, ce fut le silence. J'ai ensuite compris où Armand voulait en venir.

– Mais si tous les deux mouraient en même temps ? Les enfants n'hériteraient que de la maison.

– Félicitations, Éric ! Est-ce que tout le monde comprend ? Jean, tu m'as pas raconté une histoire semblable dernièrement ? demanda Armand.

– Oui, répondit Jean Louis. C'est arrivé à des amis de mes parents, il y a longtemps. Pour vous protéger contre ce genre de situation, il faut acheter une police qui prévoit le paiement du capital-décès seulement si les deux parents décèdent.

– Très bien. Deuxième exemple, continua Armand tandis que Mathieu montait sur la chaise. Disons que Jacinthe vend la moitié de son affaire à Jos Bleau. Un an plus tard, Jos décède en laissant cette moitié à sa femme qui n'a aucune expérience dans le domaine. Les affaires ne l'intéressent pas et elle décide de vendre sa moitié à Jacinthe. Malheureusement, à ce moment-là, Jacinthe n'as pas de liquidité et sa marge de crédit est entièrement utilisée. Tout à coup, son entreprise, *Les paysages Ostiguy*, est en péril. Devra-t-elle fermer ? La moitié de Jos Bleau sera-t-elle vendue à un incompétent ?

– J'aurais dû prendre une assurance sur sa vie. C'est ce que tu es en train de me dire ? demanda Jacinthe.

– Oui. Ce n'est pas toujours facile de savoir de quel montant d'assurances on a besoin. Il ne suffit pas que tes assurances permettent à ta famille de bien vivre, il faut aussi que toute personne dont tu dépends soit adéquatement assurée.

Puisque je ne dépends de personne, tout ça ne m'avait pas semblé très important. Ce ne fut pas la réaction de Mathieu.

– Eh bien! échappa-t-il, interrompant Armand au milieu d'un coup de ciseaux. Une chance que tu as donné cet exemple! Si mon frère mourait après avoir signé l'offre d'achat, je serais dans le pétrin. Je ne pourrais pas faire ses versements sur le paiement initial. Je vais lui parler de nous assurer réciproquement.

– Tu ferais bien de t'en occuper le plus vite possible, reprit Armand. Maintenant, un dernier exemple. Transportons-nous dans quinze ans d'ici. Mathieu a employé ses épargnes mensuelles et son talent à acheter des propriétés sous-évaluées. Ainsi, il s'est bâti un empire immobilier de 700 000 $. Malheureusement, il est frappé par un autobus...

Ici, Hugo et Jacques ont applaudi chaleureusement.

– Dans l'évaluation de 700 000 $, il y avait 300 000 $ de gains en capital qui se traduisent par une dette fiscale d'environ 100 000 $. Mathieu croyait qu'il n'avait pas besoin d'assurances. Alors son patrimoine se limitait à sa résidence privée, à ses avoirs immobiliers et à sa collection de cartes de baseball. Donc, sa femme – à propos, c'est elle qui conduisait l'autobus...

Cette fois, c'est moi qui en ai craché mon Pepsi sur mes shorts de golf blancs.

– ...Sa femme, reprit Armand, est forcée de vendre une propriété pour payer les impôts. Malheureusement, le marché est à son plus bas niveau depuis vingt ans, ce n'est pas le temps de vendre. Mais elle n'a pas le choix. Dans ce cas, pour des raisons de liquidités, Mathieu aurait dû avoir assez d'assurances pour payer sa dette fiscale.

– Je vous ai donné ces trois exemples pour vous montrer qu'il faut bien réfléchir à ses besoins en matière d'assurances. Ne soyez pas paresseux. Prenez le temps de réfléchir. Allez chercher un livre à la bibliothèque. Consultez un agent d'assurances qui a plusieurs années d'expérience et qui a déjà vu tous les scénarios. Mais assurez-vous pour le bon montant! Vous devez bien ça à votre famille.

La coupe de cheveux de Mathieu allait bon train, mais de toute évidence Armand ne pourrait pas tenir sa promesse : la leçon de ce mois-ci ne serait pas plus courte que celle du mois dernier. Nous n'avions pas encore parlé des différents types de polices. Je commençais à avoir peur, je nous voyais arriver en retard sur le tertre de départ.

– Armand, je ne voudrais pas que tu penses que je n'apprécie pas tout ce que tu fais pour nous. Au contraire, c'est incroyable tout ce que nous avons appris encore aujourd'hui. Mais Mathieu et moi devons rencontrer mon père au club de golf dans moins d'une heure. Comme on doit encore parler des autres types de polices, on ne pourrait pas remettre ça au mois prochain?

– Ce ne sera pas nécessaire, Éric. Il y a beaucoup d'autres types de polices, mais il y en a seulement une qui vous intéresse toi, Jacinthe et Mathieu : *l'assurance temporaire renouvelable et convertible*. Je vous l'explique en deux mots. Je suis certain que même vous trois qui avez des connaissances financières limitées, vous avez déjà entendu parler de la vieille chicane assurance-vie entière contre assurance temporaire, ou assurance avec valeur de rachat contre assurance temporaire.

– Certainement que j'en ai entendu parler, répondit Jacinthe. Vous ne me croirez peut-être pas, mais avant de m'assurer le mois dernier, j'ai fait un peu de recherche. Les trois livres que j'ai lus disaient que l'assurance temporaire était un meilleur choix que l'assurance avec valeur de rachat. Pourtant, tous les agents que j'ai vus m'ont suggéré de souscrire une assurance avec valeur de rachat. Je me suis fiée à leur compétence et j'ai acheté une police d'assurance-vie universelle.

– Je ne connais même pas la différence, admit candidement Mathieu.

– Ces agents recommandent l'assurance avec valeur de rachat parce que..., commença Jean Louis.

– Un instant, Jean, ordonna Armand. Tu parleras plus tard. D'abord, voyons quelques définitions.

L'assurance temporaire, c'est comme l'assurance-incendie. Elle paye le capital assuré quand la personne meurt, comme l'assurance-incendie paye le capital assuré quand la bâtisse est détruite par le feu. L'assurance temporaire est en vigueur pour une période déterminée, d'où son nom. On souscrit à ce type d'assurance pour une période de un, cinq, dix, vingt ans, et puis l'assurance vient à échéance. Il n'y a pas de valeur de rachat, pas d'épargne, pas d'investissement. C'est l'assurance la plus simple et la moins coûteuse.

L'assurance avec valeur de rachat est un programme double : moitié temporaire et moitié épargne forcée. L'épargne, c'est la valeur de rachat de la police. Éric, les probabilités que tu meures l'an prochain sont-elles plus élevées si tu possèdes une police d'assurance avec valeur de rachat ou une police d'assurance temporaire ?

– Elles sont les mêmes. Même moi je comprends ça.

– Oui, je pense que n'importe qui peut répondre à cette question. Ce que la plupart des gens ne comprennent pas, c'est tout le sens de la réponse.

Sapristi. Il m'avait perdu.

– Je ne suis pas sûr de te suivre.

– Je suis certain que tu as déjà entendu l'expression : « Achète de l'assurance temporaire et investis la différence. » Qu'est-ce que ça veut dire d'après toi ?

Armand venait de retourner la balle dans mon camp.

– Au lieu d'acheter une police avec valeur de rachat, tu prends le même montant d'assurance temporaire, ce qui te coûte moins cher parce que tu ne payes pas pour le programme d'épargne. Ensuite, tu investis la différence dans une autre forme d'épargne.

– C'est exact. Alors, qu'est-ce qui ne va pas avec la question : « Est-ce que j'achète l'assurance temporaire en investissant la différence ou est-ce que j'achète l'assurance avec valeur de rachat ? » Je vais te dire... C'est la même chose. Comme tu disais, tes chances de mourir sont les mêmes peu importe ta police. Donc, il n'existe en fait qu'une seule sorte d'assurance-vie et c'est une protection basée sur une table de mortalité. C'est ça l'assurance temporaire. L'assurance avec valeur de rachat, c'est une assurance temporaire plus l'élément de rachat. « Acheter de l'assurance temporaire et investir la différence », c'est exactement ce que fait une police d'assurance avec valeur de rachat. Le seul problème, c'est que la différence n'est pas aussi bien investie que si tu l'investissais toi-même.

– Si c'est le cas, pourquoi les compagnies d'assurances et les agents vendent des polices avec valeur de rachat ? demanda Jacinthe.

– Parce que les compagnies et les agents placent souvent leurs intérêts avant ceux de leurs clients, répondit Jean Louis avant qu'Armand n'ait eu le temps de placer un mot. Les primes et les commissions sont beaucoup plus élevées sur les polices avec valeur de rachat. Les compagnies et les agents font beaucoup plus d'argent !

– Calme-toi, Jean ! s'exclama Jacinthe. Es-tu d'accord, Armand ?

– Non, je regrette. Je ne suis pas d'accord. C'est sûr qu'il y a certains vendeurs malhonnêtes, mais ce n'est pas pire que dans d'autres domaines. Jean était vendeur il y a une quinzaine d'années. De nos jours, la plupart des vendeurs sont consciencieux non seulement pour placer l'argent des assurances, mais aussi pour la succession et la planification financière. Le produit s'est amélioré, le prix aussi. À présent, plusieurs facteurs peuvent influer sur le coût d'une assurance; le sexe, par exemple, ou le tabagisme. Les agents sont plus professionnels; ils sont mieux renseignés sur les questions financières et ne s'occupent pas seulement d'assurances.

– Si tout ça est vrai, pourquoi est-ce qu'on vend tant de ces polices avec valeur de rachat? demanda Jacinthe. Tu dis toi-même que c'est un produit inférieur.

– Oui, pourquoi? insista Jean Louis.

– La police que mon agent m'a recommandée est justement une police à valeur de rachat, reprit Jacinthe.

– Premièrement, tous les agents ne sont pas dans le même bateau. Plusieurs se sont réveillés et vendent à présent des polices temporaires renouvelables et convertibles. Plusieurs adoptent la théorie du paie-toi en premier. Tu économises 10 % et tu établis un régime enregistré d'épargne retraite. Ceux-là sont de bons agents.

Deuxièmement, ceux qui vendent des polices avec valeur de rachat ont l'impression de vendre la bonne police. Ils ont raison de dire qu'il est important d'avoir un bon capital-décès, mais aussi de devenir auto-assuré par l'épargne et le placement. Pour des raisons évidentes, les primes augmentent en fonction de l'âge. Alors, il faut avoir assez de fonds pour payer les primes ou pour se passer d'assurances rendu à un certain âge. Plusieurs agents croient honnêtement qu'une police avec valeur de rachat permet d'éco-nomiser tout en s'assurant.

D'après eux, « Acheter une assurance temporaire et investir la différence » est une bonne théorie. Sans plus. Pourquoi ? Parce que pour la plupart des gens, l'expression devient vite : « Acheter une assurance temporaire et dépenser la différence. » Les agents constatent que la plupart des clients n'ont ni la discipline ni les connaissances nécessaires pour investir la différence. Ils commencent avec une bonne assurance temporaire et ils se retrouvent à la retraite avec des primes élevées et un compte en banque vide.

– Est-ce que la plupart des gens en arrivent là ? demandai-je.

– Malheureusement, oui. Le nombre de personnes de plus de cinquante-cinq ans qui ont de sérieux problèmes financiers est effarant. Mais ce ne sera pas votre cas, je vous l'assure.

– Pourquoi en es-tu si certain ?

– Parce que le riche barbier est votre conseiller financier ! Avec votre fonds de 10 % et votre planification de retraite, vous serez auto-assurés à un âge raisonnable, très raisonnable. Non seulement vous achetez des assurances temporaires, mais vous investissez la différence et davantage. Et vous l'investissez judicieusement.

– Armand, c'est bien beau, mais si la compagnie d'assurances offre de faire tout ça pour moi avec une assurance avec valeur de rachat, une assurance plus épargne, pourquoi ne pas la laisser faire ? Elle va faire de meilleurs investissements que moi de toute façon, non ?

La question de Jacinthe semblait pertinente.

– Non ! s'exclama Armand. Habituellement, la partie épargne des polices de participation représente un pauvre investissement ! Mathieu, si j'allais te voir en te disant : « Pour épargner dans ma société, tu dois acheter de l'assurance-vie même si tu n'en as pas besoin. Je garde tout ce que tu déposes durant la première année et les années suivantes, je te charge des frais pour déposer l'argent dans ton compte de banque. Tu pourras emprunter cet argent quand tu voudras, mais il y aura des intérêts. Si par malheur tu meurs avant d'avoir remboursé le prêt en totalité, je diminue d'autant le montant à verser à tes bénéficiaires. Si tu n'empruntes pas, à ta mort je rembourse seulement le capital assuré et je garde tes épargnes pour moi. Oh! en passant, je ne t'offre pas un très bon taux d'intérêt.» Qu'est-ce que tu en dirais?

– Non, merci. Je vais plutôt continuer d'acheter des maisons avec mon frère. Tu sais, je pensais que de pouvoir emprunter sur sa police d'assurances à un taux très bas, c'était une bonne idée. Mais à bien y penser, payer de l'intérêt pour emprunter son propre argent, ce n'est pas très brillant.

– Dis donc, Mathieu, fit Jean Louis en riant. Si tu pensais qu'emprunter de l'argent à 5 % sur ta police était une bonne affaire, tu vas m'aimer : je vais te prêter ton argent, de ton compte de banque, à seulement 4 %! C'est une bonne offre, non?

– Vous voyez, continua Armand, l'offre que j'ai faite à Mathieu ressemble aux polices avec valeur de rachat. D'une certaine façon, on ne peut blâmer les compagnies d'assurances de vouloir faire de l'argent et de réaliser un profit pour leurs actionnaires. Mais il ne faut pas se surprendre s'il ne reste plus grand-chose pour les détenteurs de polices. Pour épargner avec succès, il faut éliminer l'intermédiaire.

– Et il faut investir pour obtenir une croissance, dit Mathieu avec la ferveur des convertis.

– Très bien. Comme nous l'avons vu le mois dernier, le pire serait de voir nos épargnes gelées à long terme avec un faible taux de rendement. Nous voulons être des propriétaires, pas des prêteurs, rappela Armand.

– Tu as dit que dans une police d'assurance traditionnelle avec valeur de rachat, tout ce qui est versé à ta mort, c'est le capital-décès ; et la compagnie d'assurances garde tes épargnes. Ça me semble presque illégal.

– C'est un point sur lequel Jean et moi tombons d'accord, soupira Armand. Pendant des années, les compagnies d'assurances ont littéralement volé les épargnes de leurs souscripteurs. En fait, certaines compagnies émettent encore de ces polices. Ce n'est pas correct, et elles n'ont aucune excuse. Heureusement, la plupart des agents et des compagnies s'éloignent de plus en plus de cette pratique.

– Ces polices t'offrent deux services, continua Jean Louis, la protection pour les personnes à charge si tu meurs et la protection pour toi-même si tu ne meurs pas. Tu payes cher deux services et, à moins d'être passé maître dans l'art d'être à la fois mort et vivant, tu ne reçois jamais les bénéfices que d'un des deux services. C'est une très mauvaise affaire.

– Encore une chose, insista Armand. Il y a des agents qui vont dire : « O.K., les polices à valeur de rachat ne sont peut-être pas la meilleure façon d'économiser, mais au moins avec elles l'épargne est obligatoire. » C'est ridicule. Si tu es assez discipliné pour payer tes primes chaque mois, tu l'es assez pour suivre un programme d'épargne par toi-même. En fait, vous trois vous avez déjà commencé.

– Mais il y a une chose que je ne comprends pas, dit Jacinthe. La police que j'ai achetée la semaine dernière est très différente de la police classique dont tu parles. Elle s'appelle « vie-universelle », et d'après mon agent, les taux de rendement sont très concurrentiels. Il m'a dit aussi qu'à mon décès, les bénéficiaires recevraient le capital-décès et la partie épargne de la police. En fait, je peux même investir cette épargne dans un outil semblable à un fonds commun si je veux. Ça, est-ce que ce n'est pas une bonne affaire ?

– L'assurance-vie universelle est un bon exemple de ce que je disais. Les assurances se sont vraiment améliorées, ces dernières années. L'assurance-vie universelle est un bien meilleur produit que la traditionnelle assurance-vie entière. Les deux éléments, l'assurance et l'épargne, sont séparés, ce qui veut dire qu'à ton décès, tes bénéficiaires reçoivent les deux. L'assurance-vie universelle offre aussi des taux de rendement plus concurrentiels, c'est vrai. Ceci dit, c'est encore préférable d'acheter une assurance temporaire et d'investir la différence. Premièrement, l'assurance temporaire coûte moins cher en dehors d'une police d'assurance-vie universelle. Deuxièmemement, parce que la compagnie doit payer ses frais et enregistrer un profit, l'aspect épargne-placement ne rapporte pas autant que si tu t'en occupes toi-même. C'est surtout vrai si tu rachètes ta police au cours des premières années, puisque la compagnie d'assurances fixe des coûts très élevés sur chaque police. Si, par exemple, tu annulais ta police d'assurance-vie universelle après dix ans, le taux de rendement sur tes épargnes serait d'environ 3 %. C'est ridicule.

L'assurance-vie universelle a un seul avantage : tes épargnes peuvent croître en franchise d'impôt. Mais ce n'est pas aussi sûr mathématiquement, que d'acheter une assurance temporaire et d'investir la différence dans ton REÉR ; ou d'acheter une assurance temporaire et de rembourser tes dettes non déductibles ; ou pour les jeunes, d'acheter une assurance temporaire et d'investir dans un outil de croissance à long terme.

Maintenant une question : les polices avec valeur de rachat ont des primes nivelées, alors que les polices temporaires deviennent plus chères avec l'âge. Pourquoi ?

– Je sais pourquoi, dit Mathieu. Avec les polices avec valeur de rachat, tu payes trop cher au début pour payer moins cher plus tard. Ce que tu as payé en trop est investi et l'augmentation des coûts est facilement couverte.

– Mathieu, tu m'impressionnes, complimenta Armand. Est-ce une bonne chose?

– Non, c'est ridicule. Pourquoi payer en trop durant les premières années quand il y a de fortes chances que je n'aie plus besoin d'assurances les dernières années? Je serai auto-assuré au moment où mes assurances temporaires deviendront coûteuses. Et puis, quand on est jeune, on a besoin de plus d'argent, on a plus de responsabilités. Ce n'est pas le moment de trop payer pour les assurances.

– Mathieu, je retire tout ce que j'ai dit sur toi, répondit Armand. Tu es intelligent comme un singe.

– Comme un singe, peut-être…, mais pas plus! murmurai-je tout en cachant le fait que j'étais vraiment impressionné.

– Bon, fit Jacinthe distraitement. Je vois que les assurances temporaires sont la solution logique, mais mon agent avait un autre argument. Il disait que d'acheter de l'assurance maintenant est une bonne garantie d'assurabilité pour plus tard. Ça a du bon sens, non? Mais Jean a dit que c'était ridicule, – pourquoi?

– Je vais répondre, Armand, offrit Jean Louis. «Ridicule» est peut-être un peu fort. Mais je crois toujours que tu devrais acheter de l'assurance-vie seulement si tu en as besoin. Je pense que seulement 2 % des gens se voient refuser une assurance-vie. Oui, c'est possible que tu fasses partie de ce 2 %, mais c'est possible aussi que tu aies un accident de voiture aujourd'hui. Et ça ne t'empêchera pas de conduire, n'est-ce pas? Dans la vie, on ne peut pas éviter tous les risques. Mais si tu tiens à garantir ton assurabilité, achète une assurance temporaire; pour le même montant, tu pourras te garantir d'autant d'assurabilité que possible.

– Très diplomate, Jean, dit Armand. Maintenant je vais faire vite pour que vous ne ratiez pas votre partie de golf.

– Oui. Parce que si on arrive en retard, tu ferais mieux d'avoir de bonnes assurances, dit Mathieu d'un air menaçant.

– J'ai parlé d'assurance renouvelable et convertible. *Renouvelable* veut dire qu'à la date d'échéance du contrat, tu peux renouveler ton assurance sans avoir à subir un examen médical. L'importance de cette clause saute aux yeux! Si tu as le cancer et si tu ne meurs pas avant l'échéance de ton contrat, la garantie de renouvellement est ta planche de salut.

Quand tu achètes une police temporaire renouvelable, veille à ce que le taux maximum applicable sur les primes futures soit indiqué. Pourquoi? Pour éviter que la compagnie d'asssurances renouvelle ta police à des taux non concurrentiels. Que ces taux résultent directement des politiques internes de la compagnie ou soient dus à certains phénomènes, par exemple, le sida, tu ne seras pas protégé à moins que ta police ait déjà garanti les primes futures.

Normalement, il est possible de renouveler jusqu'à l'âge de 65 ans ou de 70 ans. Ça sera amplement suffisant pour vous trois, vous serez tous auto-assurés avant cet âge-là.

Convertible veut dire que tu as le droit de transférer le capital assuré de ta police dans n'importe quel programme avec valeur de rachat vendu par la compagnie, encore une fois sans avoir à faire la preuve de ton assurabilité. C'est important dans l'éventualité où vous auriez besoin d'assurances après 65 ans, au moment où vous ne pourriez plus renouveler votre assurance temporaire. Je doute que vous ayez besoin de cette protection, mais achetez-en quand même, ce n'est pas cher.

– Pour ma part, reprit Jean Louis, je crois sincèrement qu'aucune compagnie d'assurances ne devrait avoir le droit de vendre des assurances non renouvelables ou non convertibles. Les raisons sont évidentes. Autrement, il y a trop de façons de léser le détenteur.

– Aussi, achetez toujours une police sans participation, insista Armand. *Toujours*. Les polices avec participation fonctionnent comme ceci. La compagnie émettrice ajoute une surprime aux primes. De cette surprime, elle te verse des *dividendes*. Ce ne sont pas des dividendes comme on l'entend normalement, à savoir une distribution partielle des profits après impôt. Ce sont plutôt des rabais sur le supplément. Selon la loi, les compagnies ne peuvent pas garantir à l'avance le montant des dividendes. Ces montants sont déterminés en fonction des succès actuariels de la compagnie. En fait, une police avec participation est une façon de te faire partager les risques. Personne ne devrait acheter de l'assurance pour partager un risque. On achète une assurance pour essayer d'éliminer les risques. Je vous en prie, n'achetez surtout pas une police avec participation !

– Est-ce que je devrais magasiner pour avoir les taux les plus bas ? demanda Jacinthe.

– Oui, répondit Jean Louis.

– Non, répliqua Armand. Tu devrais toujours essayer d'avoir un taux concurrentiel, mais pas nécessairement le plus bas. Plusieurs agents ne peuvent t'offrir que les produits de la compagnie pour laquelle ils travaillent. Si tu fais affaire avec un de ces agents et qu'il fait un bon travail, qu'il t'aide à analyser tes besoins en assurances et qu'il te donne de bons conseils en planification financière, il est plus prudent de rester avec lui, quitte à ne pas bénéficier des taux les plus bas. Cependant, ton taux devrait rester concurrentiel. Trop de loyauté pourrait te coûter cher !

Il est important de noter que vous n'achèterez pas toutes vos assurances temporaires d'un agent. Il y a deux autres excellentes sources. La première est l'assurance-vie hypothèque. Plusieurs institutions financières offrent maintenant une assurance temporaire à bas prix qui paiera votre hypotèque dans l'éventualité de votre décès. Éric, en contractant ton hypothèque l'an prochain, tu voudras probablement souscrire à cette assurance. Si Nadia ou toi mouriez, l'assurance paierait le solde de l'hypothèque. Le coût de cette assurance, souvent la moins chère disponible, est ajouté au versement mensuel hypothécaire. C'est un excellent produit, mais ce n'est pas toujours moins cher qu'une police temporaire individuelle. Vérifiez les taux.

L'autre source d'assurance temporaire est l'assurance de groupe offerte au travail. Jacinthe, ça ne s'applique pas à ton cas, mais pour les autres, l'assurance de groupe peut, et j'insiste sur le peut, être une très bonne affaire. Parce qu'elle est distribuée plus efficacement au consommateur, l'assurance de groupe est une alternative peu coûteuse. Mais il faut faire attention, elle n'est pas toujours préférable à la police individuelle. Les taux de groupe sont basés sur la moyenne des gens dans le groupe. Si tu es beaucoup plus jeune que tes collègues, il peut être préférable pour toi de prendre une police individuelle. Par exemple, si tu es une femme dans une assurance-groupe qui ne fait pas de distinctions basées sur le sexe ou si tu es non-fumeur et qu'il n'y a pas de distinction à cet effet. Demande au service du personnel de te dire ce qu'il t'en coûte pour l'assurance-groupe et ensuite demande le prix d'une police individuelle à ton agent. Prends la moins chère. C'est une simple question de bon sens. Autre chose : si tu voulais quitter ton travail, il se pourrait que la police ne soit ni convertible ni renouvelable. Presque toutes les assurances de groupe te permettent, dans les trente et un jours après ton départ, de convertir ta police en programme avec valeur de rachat. Nous ne voulons pas d'une police à valeur de rachat. Alors, n'accepte cette conversion que si tu es incapable d'obtenir une assurance-vie individuelle. L'assurance de groupe ne se limite pas à ton travail. Il se pourrait que tu puisses te qualifier pour un plan offert à un groupe professionnel ou à une association quelconque. Certains de ces programmes sont excellents.

– Mathieu est membre du «Club des petits débrouillards». Ont-ils une assurance de groupe? taquina Jacinthe.

– Au travail, on offre une assurance gratuite de 25 000 $. Est-ce que je devrais y souscrire? demandai-je.

– Deux mois d'écoulés, et c'est notre première question idiote, répondit Armand en secouant la tête. Pas si mal, pas si mal. Prends tout ce qui est gratuit, Éric, rétorqua Armand en secouant la tête.

– Combien coûte une assurance temporaire? demandai-je en espérant ne pas être ridicule encore une fois.

– Éric, prenons ton cas. Nous avons décidé que l'an prochain, tu aurais besoin d'un capital-décès d'environ 400 000 $ pour toi et de 200 000 $ pour Nadia. Voyons voir... il y a les 25 000 $ gratuits, l'assurance-vie-hypothèque et l'assurance renouvelable et convertible... Je dirais environ 80 $ par mois.

– C'est tout? dis-je, ravi. J'imaginais des centaines de dollars par mois.

– Non. L'assurance temporaire est une bonne affaire. C'est bien connu. Et l'avantage, c'est qu'en prenant de l'âge, tu auras besoin de moins en moins d'assurances parce que ton patrimoine s'accroîtra chaque année.

– Et que dire de l'assurance-invalidité, Armand? J'en ai besoin?

– Nous parlerons de l'assurance-invalidité une prochaine fois, Jacinthe.

– Le mois prochain?

– Non. Le mois prochain, nous étudierons les régimes enregistrés d'épargne retraite, les REÉR.

– Dis-moi, Armand, demanda Mathieu en sortant, il faut apporter nos sacs de couchage le mois prochain ? On est presque dimanche !

– Après tout ce que j'ai fait pour vous, c'est votre façon de me remercier ? Ah ! la jeunesse ingrate d'aujourd'hui ! En tout cas, nos deux golfeurs devraient avoir un meilleur pointage cette fois-ci.

– Pourquoi ?

– Il est passé onze heures. Vous allez manquer les trois premiers trous.

– Ah ! Ah ! Riche et drôle. Une combinaison mortelle, dis-je en sortant en plein soleil.

– Ne t'en fais pas, dit Mathieu. D'ici à ce que nous arrivions au terrain de golf, ton père aura déjà payé tous les frais. Voilà ce que j'appelle une saine planification financière !

103

6
NOTRE REÉR

– Bonjour, chers amis, fit Armand en nous acceuillant. Belle journée, n'est-ce pas?

– Ah! non. C'est nuageux et il fait froid! dis-je.

– Je sais. Mais je parle du temps qu'il fait dans nos cœurs au lendemain d'une belle victoire des Expos!, dit un Armand tout rayonnant.

– Tu me rends malade! lança Hugo qui préparait le café dans l'arrière-boutique.

– Tu as raison, Armand, dis-je en souriant. La vie est belle!

– Nous allons à la partie, demain, fit Jacinthe gaiement. Mathieu et moi avec Nadia et Éric. Pardon... Disons plutôt que j'y vais avec Nadia et Éric et que Mathieu nous accompagne.

– Et dire que j'allais payer ton billet, soupira Mathieu.

– Plus sérieusement, avez-vous apporté votre note d'honoraires? demanda Armand en rappelant son ultimatum du mois dernier.

Jacinthe lui remit les trois copies.

– Je suis très impressionné, dit-il. Vous avez vraiment l'air déterminé à mettre de l'ordre dans vos affaires.

– Avions-nous le choix?

– On ne peut jamais surévaluer l'importance du testament.

– Avant de commencer la leçon d'aujourd'hui, j'aimerais vous informer que j'ai résilié mon assurance-vie, annonça fièrement Jacinthe. Mais je dois vous avouer qu'après coup, je l'ai regretté.

– Pourquoi? demanda Jean Louis.

– Parce que je pensais que mon agent allait me tuer, répondit Jacinthe.

– Ouais! Il y a des vendeurs qui acceptent mal d'être rejetés. Il t'a demandé pourquoi tu avais changé d'idée?

– Oui. Et quand je lui ai donné toutes les raisons, il a pris un air indigné et il a dit : « L'instruction n'est qu'une partie de l'éducation. »

– Et tu as répondu quoi? demandai-je.

– J'ai répondu : Vous avez raison. Vous devriez prendre des cours!

– Cette conduite n'est pas typique de tous les agents, commenta Armand une fois que les rires eurent cessé. La plupart sont de vrais professionnels. Cet agent était probablement fâché parce qu'il croyait agir dans ton intérêt.

– Foutaise! soupira Jean Louis. Il était fâché parce qu'il venait de perdre sa commission.

– Un peu de ça aussi, concéda Armand. Quelle qu'en soit la raison, sa conduite est répréhensible et non représentative du milieu. De toute façon, tu as pris la bonne décision, Jacinthe. Tu dois faire ce qu'il y a de mieux pour toi et non pour l'agent. Et si ça veut dire annuler ou remplacer une police, tant pis.

– Si tu veux remplacer une police d'assurance, expliqua Jean Louis tout en lisant le cahier des sports de *La Presse*, parce que tu as trouvé une alternative moins coûteuse ou parce que tout simplement tu désires passer d'une police avec valeur de rachat à une police temporaire, il y a une chose à ne pas oublier. Tu ne devrais pas annuler la vieille police avant d'avoir acheté l'autre, juste au cas où tu ne serais plus assurable.

– Merci, Jean! s'exclama Mathieu. Je vais le dire à mon frère. Il veut changer de police et placer lui-même son argent.

– En parlant de Benoît, où en est votre transaction immobilière? Conclue?

– Ouais! Il y a deux semaines. Mais nous avions mal budgété les frais de clôture. En fait, nous ne les avions pas budgétés du tout. Les frais d'évaluation, la recherche des titres, les frais légaux... c'est beaucoup d'argent. Mais tout s'est bien déroulé et les Barrette ont emménagé la semaine dernière. C'est incroyable, toutes les petites améliorations déjà apportées par mon frère. Il a dépensé moins de mille dollars, mais c'est comme si il en avait dépensé dix mille. Les petites choses font toute la différence. Mon frère est un génie.

– Ça me semble très bien, Mathieu, remarqua Armand. C'est vraiment incroyable tout ce que peut faire un homme habile...

– Une *personne* habile, corrigea Jacinthe.

– Une personne habile, acquiesça Armand, peut accomplir beaucoup avec peu. Il semblerait que Benoît soit le partenaire idéal. Avez-vous parlé de vos besoins en assurances?

– Chacun a souscrit à une assurance temporaire convertible et renouvelable avec un capital assuré de 25 000 $ et nous nous sommes nommés bénéficiaires. Si l'un des deux décédait, le survivant serait capable de rembourser le prêt du paiement initial. Je n'aurais pas de problèmes financiers si Benoît mourait demain. En fait, je l'encourage même à faire du deltaplane demain!

– Bien pensé, Mathieu. Pas le deltaplane, mais l'assurance. Tu apprends étonnamment vite, réfléchit Armand à voix haute.

– Pourquoi «étonnamment»? bafouilla Mathieu.

– Aujourd'hui, nous allons regarder de plus près les régimes enregistrés d'épargne retraite, continua

Armand en ignorant la question de Mathieu. Les REÉR sont une chance en or pour la majorité des Canadiens. Nous avons tous besoin d'épargner en vue de la retraite. Et il n'y a pas de meilleur outil que le REÉR.

Les statistiques démontrent que beaucoup de Canadiens prennent leur retraite près du seuil ou sous le seuil de la pauvreté. En fait, on dit que plus de 50 % des retraités canadiens ont besoin d'une forme quelconque d'aide gouvernementale pour survivre. Qu'une telle situation existe dans un pays aussi prospère est embarrassant. Nulle part ailleurs, le manque de connaissances financières est aussi flagrant. Avec une population vieillissante et le Régime de pension du Canada qu'on remet en question, il est primordial que les Canadiens économisent en vue de l'« âge d'or ».

Prenons l'exemple d'une femme prospère qui arrive à sa retraite demain. Nous l'appellerons... Jacinthe. Disons qu'elle gagnait 100 000 $ par année. Combien aurait-elle dû économiser pour s'assurer du même revenu annuel à sa retraite ?

– À un taux de rendement de 8 %, elle aurait besoin de 1 250 000 $, répondit Mathieu sans même utiliser la calculatrice de Jean Louis. Wow ! Un million deux cent cinquante mille dollars !

Après la deuxième leçon, je croyais m'être habitué aux gros chiffres. Je dois pourtant admettre que les besoins d'argent de cette Jacinthe imaginaire m'ont atterré.

– C'est beaucoup d'argent ! soupirai-je.

– C'est certain, acquiesça Armand. Pour maintenir un même niveau de vie à la retraite, le montant des économies doit être phénoménal. C'est pourquoi un REÉR...

– De nos jours, est-ce que les gens n'ont pas tous un régime de retraite ? Et puis, il y a le fonds de 10 % ? Il devrait combler la plus grande partie du capital requis, non ? demanda Mathieu dont la confiance augmentait sans cesse.

– Bonnes questions, Mathieu, très bonnes questions. Premièrement, les caisses de retraite. Un bon nombre de gens n'en ont pas : les professionnels, les vendeurs à commission, les propriétaires de petites entreprises... Ajoutons encore tous les employés de petites ou de grosses entreprises qui ne participent pas à une caisse de retraite. Pour tous ces gens, il est impératif d'économiser en vue de la retraite. Et il y a plusieurs personnes dont les caisses de retraite sont insuffisantes.

Éric et toi avez d'excellentes caisses de retraite au travail. À votre pension, vous toucherez environ 65 % de votre revenu de la dernière année travaillée. Mais vous êtes l'exception et non la règle. La plupart des caisses de retraite ne sont pas aussi généreuses.

– Alors tu dis qu'Éric et moi n'avons pas besoin de REÉR, mais que la plupart des gens, dont Jacinthe, en ont besoin ? demanda Mathieu.

– Non. Ce n'est pas du tout ce que je dis. Le but est d'avoir un revenu de retraite comparable au revenu après impôt de sa dernière année travaillée. Donc, même vous deux aurez besoin d'économiser le 35 % de différence entre votre revenu de pension et le revenu de votre dernière année travaillée.

– Pourquoi ? dit Mathieu. Tout le monde dit que nous avons besoin d'un revenu moins élevé à notre retraite. Habituellement, il n'y a plus d'hypothèque à payer. Neuf fois sur dix, il n'y a plus d'enfants à charge. La maison est entièrement meublée. Si on a bien économisé, on n'a plus besoin d'assurances. Et puis, les dépenses diminuent beaucoup quand on est à la retraite. Alors pourquoi aurait-on besoin d'autant d'argent qu'avant ?

Cette question nous semblait très raisonnable à Jacinthe et à moi.

– À première vue, ce que tu dis semble logique, mais il y a quelques failles dans ton raisonnement.

Dans beaucoup de cas, plusieurs années avant la retraite, l'hypothèque a été remboursée et les enfants sont partis. Pour plusieurs, les dernières années de travail sont donc caractérisées par des revenus élevés et une réduction significative des dépenses. Vraisemblablement, le revenu dont ils disposent est plus élevé que jamais. Ce n'est donc pas très agréable d'avoir à diminuer son niveau de vie arrivé à la retraite à cause d'une diminution de revenu. Psychologiquement, c'est un ajustement très difficile, pour ne pas dire traumatique. Si la chute des dépenses coïncidait parfaitement avec la date de la retraite, le problème ne serait pas aussi important. Mais ça se produit rarement. S'ajuster à une chute en flèche de son revenu n'est pas une bonne façon de commencer sa retraite. On dit que les gens à cet âge ont un style de vie moins dispendieux que celui des gens qui travaillent. C'est un mythe. Les gens ne prennent pas leur retraite pour s'asseoir dans une chaise berçante. Alors que le reste d'entre nous nous tuons au travail, ils jouent au golf, s'adonnent à de nouveaux passe-temps, voyagent beaucoup et toutes ces activités ont un seul dénominateur commun : elles coûtent de l'argent !

Une autre chose qu'il ne faut pas oublier, c'est notre bonne vieille amie, l'inflation. Beaucoup de caisses de retraite ne sont pas ajustées chaque année en fonction du coût de la vie, c'est-à-dire qu'elles ne sont pas *indexées*. D'autres le sont, mais pas à cent pour cent. Elles peuvent avoir un plafond de 4 % à 8 % d'augmentation annuelle. Si l'inflation se maintenait à 10 % pendant plusieurs années, les prestataires de caisses de retraite non indexées ou partiellement indexées auraient de sérieux problèmes. Des centaines de milliers de personnes se sont retrouvées dans ce bateau, au début des années 1980.

Certaines dépenses inhérentes à la retraite peuvent aussi être très importantes... et très difficiles à affronter, même avec une bonne pension. La santé étant moins bonne au fur et à mesure que nous vieillissons, il y a de nombreux frais médicaux qui peuvent entraîner à la fois la chute de notre santé financière et de notre santé physique.

Et oui, probablement que vous n'aurez plus d'enfants à charge. Mais il y a des parents à charge! Comme je l'ai dit plusieurs fois, la plupart des Canadiens sont des ignorants en matière de finances. Vous trois, vous apprenez maintenant ce qu'il faut faire, mais beaucoup de gens et beaucoup de parents n'ont pas eu cette chance. Souvent les vieux parents deviennent à la charge financière de leurs enfants.

– Mon père me hante avec ce scénario tous les jours, dis-je en souriant.

– Tes années de retraite devraient être parmi les plus belles années de ta vie. Alors tu dois faire tout en ton pouvoir pour jouir de ces belles années. Tu dois épargner assez d'argent durant tes années actives pour garder le même revenu à ta retraite.

– Tu as apporté des bons points, Armand, dis-je, mais Mathieu te demandait tantôt si le fonds de 10 % ne suffirait pas à combler les problèmes de revenu? En mai, tu nous a garanti qu'un jour nous serions riches.

– Oui. Et je maintiens ce que j'ai dit, répondit Armand sur un ton emphatique. Mais attention! Le fonds de 10 % n'est pas destiné à augmenter votre revenu de retraite. C'est votre argent «j'ai réussi». C'est votre argent «je peux faire et acheter ce que je veux». Une maison sur le lac, un condo en Floride, une auto de luxe. Voilà pourquoi on épargne 10 % de tout ce qu'on gagne.

– Sûrement, mais advenant un manque de revenu, on pourra toujours puiser dans le 10 %, non ? demanda Jacinthe timidement.

– Oui, mais on préfère ne pas le faire, mademoiselle Ostiguy, ajouta Armand le maître d'école. Idéalement, si on épargne convenablement en vue de la retraite, on n'a pas à le faire. Si notre Jacinthe imaginaire prenait sa retraite demain, mais n'avait épargné que l'argent suffisant pour lui assurer un revenu de 50 000 $ par année, elle aurait deux choix: soit vivre avec la moitié de la somme à laquelle elle est habituée, soit puiser à même son fonds de 10 % pour combler la différence. Et elle devrait y puiser plus que cette différence de 50 000 $. En effet, elle devrait utiliser les 625 000 $ de son fonds, car c'est la somme qu'il lui faudrait, investie à 8 %, pour générer une encaisse annuelle de 50 000 $. Soudainement, son argent pour les petites douceurs de la vie serait considérablement réduit. Pour chaque dollar de revenu, il lui faudrait utiliser 12,50 $ du fonds.

– 8 % de 12,50 égalant 1, calculai-je.

– Et ton père disait que tu n'étais pas doué pour les maths, blagua Armand.

– Je vois où tu veux en venir, Armand, et je suis d'accord avec toi. Et je suis sûre que ces deux-là sont d'accord aussi, dit Jacinthe en pointant du doigt vers Mathieu et moi. Alors, tu dis que nous devrions épargner 10 % et l'investir. Et épargner encore pour assurer notre revenu de retraite.

– C'est exactement ce que je dis. Pour être en excellente position, il faut faire les deux.

– Encore une fois, Armand, tes arguments sont irréfutables, personne ne peut en questionner la logique ; mais est-ce que c'est faisable ? Économiser le 10 % et économiser en vue de la retraite, ça pourrait être dur ! En plus du loyer, de l'épicerie, etc., je n'aurai plus un sou. Je ne pourrai plus sortir de chez moi !

Mathieu avait encore soulevé un point intéressant. Je croyais que, cette fois, Armand était coincé.

– Comme vous l'avez appris au cours des deux derniers mois, épargner 10 % n'est pas si difficile. En vous payant en premier, l'opération est presque sans douleur. Quelqu'un a remarqué une diminution de son niveau de vie ? Avez-vous seulement regretté cet argent ? demanda Armand.

La réponse unanime fut : non.

– Non, mais tu nous demande maintenant d'épargner pour notre retraite.

– Un instant, Mathieu. Épargner des centaines de milliers de dollars en vue de votre retraite ne devrait pas vous effrayer. Vous connaissez la magie de l'intérêt composé, non ? Eh bien, cette fois à l'intérieur d'un REÉR, l'intérêt composé sera encore votre meilleur ami. Ça, ça ne devrait pas vous surprendre. Ce qui pourrait vous surprendre, par contre, c'est l'identité d'un autre de vos amis, dont vous ne vous doutiez pas : le gouvernement !

– Armand, le gouverment n'est pas mon ami, répliqua Mathieu. Je lui donne la plus grosse part de mon salaire et lui, pour me remercier, il perd mon courrier !

– Pour les REÉR, c'est un vrai ami, reprit Armand. Parce que le gouvernement subventionne vos cotisations aux REÉR, jusqu'à 50 % dans certains cas. Et puis, grâce aux REÉR, vos épargnes peuvent croître en franchise d'impôt jusqu'à leur retrait. C'est déjà beaucoup, non ? En fin de compte, avec l'aide du gouvernement et avec les économies réalisées en achetant de l'assurance-vie temporaire au lieu de l'assurance avec participation, vos cotisations sont presque entièrement financées ! Bien sûr, il faut économiser encore un peu. Mais si vous continuez à vous payer en premier, vous ne vous en rendrez quasiment pas compte. Pas vrai, les gars ?

– Vrai ! répondirent en chœur Jacques, Jean Louis et Hugo.

– Comment, exactement, est-ce que le gouvernement subventionne les cotisations ?

– En temps et lieu, Éric... En temps et lieu. Pour commencer, laissez-moi vous expliquer ce que sont les REÉR. Les gens intelligents ont réalisé depuis longtemps qu'ils avaient besoin d'économiser en vue de leur retraite. Les régimes d'épargne retraite, RÉR, font partie de la planification financière depuis des centaines d'années. Épargner aujourd'hui pour demain, ce n'est pas nouveau, c'est essentiel. Malheureusement, la plupart des Canadiens croient que par miracle l'argent de la retraite sera au rendez-vous. Il y en a d'autres qui comprennent l'importance de l'économie en vue de la retraite, mais qui ne sont pas assez disciplinés pour mettre de l'argent de côté. Ça se comprend. Ce n'est pas facile pour des gens dans la vingtaine, la trentaine, même la quarantaine, de penser à leur vie à la fin de la cinquantaine : c'est tellement loin !

Il y a des années, le gouvernement a compris qu'il faisait face à une main-d'œuvre indisciplinée, mal informée, et à une population qui vieillissait rapidement. Il fallait faire quelque chose. Tu peux critiquer le gouvernement, si tu veux, mais dans les années 1950, il a fait quelque chose de très sage et de très innovateur pour motiver les gens à économiser en vue de leur retraite. Il a ajouté un E à RÉR. E pour enregistré. Si tu enregistres ton RÉR et tu suis les directives du gouvernement, tu peux déduire tes cotisations à ton régime enregistré de ton revenu imposable. Et tout l'argent placé dans le REÉR peut croître sans imposition, jusqu'au retrait. Une idée géniale !

Supposons qu'Éric cotise 1 000 $ à son REÉR cette année. Ce 1 000 $ est déductible de son revenu imposable, ce qui veut dire qu'avec un taux marginal d'impôt d'environ 40 %, Éric reçoit à peu près 400 $ en économie d'impôt. Il a 1 000 $ dans son REÉR, mais en fait il n'a déboursé que 600 $.

– Qu'est-ce qu'un taux marginal d'impôt? demandai-je en espérant que ce ne soit pas Mathieu qui réponde.

– C'est le taux d'imposition qui s'applique à la dernière tranche d'imposition du revenu imposable, expliqua Armand, c'est-à-dire au dernier dollar gagné au cours de l'année. C'est très important de bien comprendre cette définition. Par exemple, si Jos Bleau gagnait 40 000 $ durant l'année et payait 10 000 $ en impôt, son taux d'imposition effectif serait de 25 %. Mais son taux d'imposition marginal serait beaucoup plus élevé. C'est le taux qu'il devrait payer à Revenu Canada sur son prochain dollar de revenu. Autrement dit, le taux auquel il éviterait de payer des impôts s'il réduisait son revenu imposable de 1 $.

– Donc, si tu es dans la tranche fiscale la plus élevée, le gouvernement subventionne environ la moitié de tes cotisations, conclut Jacinthe.

– Avec la nouvelle réforme fiscale, pas la moitié, mais presque...

– Je vais cotiser autant que possible, dit Mathieu.

– Ta contribution annuelle est limitée, souligna Jacinthe.

– C'est vrai, Mathieu, reprit Armand. La générosité du gouvernement a des limites. Des limites qui, d'une part, motivent l'économie sans mettre en péril les revenus d'impôt du gouvernement. Et qui, d'autre part, tiennent compte du rôle des caisses de retraite. C'est évident qu'une personne sans caisse de retraite devra économiser davantage par l'entremise des REÉR qu'une qui contribue à une caisse de retraite.

C'est aussi évident que quelqu'un qui gagne 25 000 $ par année et un autre qui gagne 100 000 $ par année n'ont pas à économiser le même montant pour maintenir leur niveau de vie. Les limites des cotisations annuelles reflètent ces réalités.

– Quelles sont ces limites ?

– Cette année, commença Armand, la contribution maximale est de 18 % de ton revenu de l'année dernière, jusqu'à concurrence de 12 500 $...

– Le revenu de l'année dernière ? demandai-je.

– C'est bien ça, répondit Armand patiemment. À présent, vos contributions sont calculées selon vos revenus de l'année précédente. Ce qui devrait créer quelques bonnes occasions... et soulever quelques problèmes intéressants. Par exemple, supposons que tu prennes une sabbatique l'an prochain. Même avec aucun revenu, tu pourrais toujours cotiser à un REÉR une somme calculée selon ton revenu de cette année-ci.

– Le problème, c'est que je n'aurai pas d'argent, dis-je en riant.

– Précisément, confirme Armand. Et quand l'année suivante tu auras recommencé à travailler tu ne seras plus admissible aux cotisations. Mais, une planification judicieuse et de bonnes habitudes d'épargne pourront te permettre de contourner ce petit problème.

– Facilement, ajouta Mathieu d'un ton sarcastique.

– De manière positive, poursuivit Armand, le fait que le montant soit calculé selon le revenu de l'année précédente signifie que tu pourras maintenant cotiser à ton régime au cours de la première année de ta retraite.

– Intéressant, intervint Jean Louis. Je suis certain que beaucoup de gens n'ont pas pensé à ça.

– Est-ce que le montant maximum des cotisations n'est pas censé augmenter annuellement ? demande Jacinthe.

– Tu as raison, Jacinthe. Chaque année, de 1994 à 1996 inclusivement, il y aura une augmentation de 1 000 $. Puis à compter de 1997, la limite sera rajustée chaque année en fonction de la hausse du salaire industriel moyen.

– Ces nouvelles limites sont fantastiques !

– Pas si vite, Éric, répondit Armand. Ces limites très généreuses sont ensuite réduites par un nouveau facteur appelé « facteur d'équivalence » (FE). Le FE tient compte du régime de retraite de chacun dans le calcul de ses limites de cotisation et essaie de mettre sur un pied d'égalité l'employé membre d'un régime de retraite avec le travailleur autonome qui ne bénéficie pas d'un régime de retraite. En d'autres mots : un bon régime de retraite égale un FE élevé. Et un FE élevé diminue le montant admissible des cotisations au REÉR. Donc, si ton régime de retraite est riche, comme celui d'Éric, ton FE risque de réduire et même réduire à zéro le montant des cotisations à un REÉR.

– Moi, je ne cotise pas à un régime de retraite, fit remarquer Jacinthe.

– Alors ton FE est de zéro, répondit simplement Armand. Et toi, Mathieu, ton FE sera élevé parce que ton régime de retraite est raisonnable mais il sera tout de même moins élevé que celui d'Éric.

– Comment on calcule son FE ?

– On ne le calcule pas. C'est trop compliqué. C'est le service du personnel où tu travailles qui le calcule pour toi.

– Qu'est-ce que cette nouvelle règle « de report de droit de cotisation » ? continua Jacinthe pendant que Mathieu et moi hochions la tête, incrédules et admiratifs.

– C'est quelque peu simplifié, mais disons que c'est une politique qui permet aux contribuables de retourner dans le temps, jusqu'à sept ans en arrière, et de faire maintenant les cotisations qu'ils n'ont pas pu faire à l'époque. Par exemple, si cette année Jacinthe ne pouvait pas cotiser ses 12 500 $, elle pourrait cotiser 25 000 $ l'an prochain.

– C'est une bonne affaire, non ?

– Peut-être, dit Armand. Mais j'espère que les gens n'abuseront pas de ce *report de droit de cotisation*. On a déjà trop tendance à tout remettre au lendemain. Il faut contribuer à un REÉR le plus tôt possible pour que l'argent puisse croître en franchise d'impôt.

– Et puis, si c'est difficile de trouver 10 000 $ une année, ce sera probablement encore plus difficile de trouver 20 000 $ l'année suivante, raisonna Mathieu comme je descendais de la chaise d'Armand.

– Et pour toi, sœurette, ce sera difficile chaque année !

– Éric, je comprends…, commença Armand.

– Je peux répondre, Armand ? demanda Jacinthe. J'avais les mêmes craintes, Éric, quand j'ai décidé de cotiser ma limite de 7 500 $, l'an dernier. Mais le gouvernement m'a subventionnée pour environ la moitié du montant et je n'ai eu à payer de ma poche qu'environ 310 $ par mois. Ça peut sembler beaucoup d'argent, mais il faut se rappeler deux choses. Premièrement, j'ai un excellent revenu. Deuxièmement, je n'avais pas de retenues à la source, pour un régime de retraite. L'argent allait directement de mon compte de banque à mon REÉR chaque mois. Je me payais en premier, et cet argent ne m'a à peu près pas manqué. C'est pourquoi je n'ai pas été surprise quand la même chose s'est produite avec le 10 %.

– Belle, intelligente, sens de l'humour et riche bientôt… Oh ! Si j'étais jeune ! blagua Armand avant d'enchaîner plus sérieusement. Commencez dès maintenant, c'est la clé du succès. Vous avez une bonne raison de commencer maintenant…

– L'intérêt composé, anticipa Mathieu.

– L'intérêt composé ! confirma Armand. Je l'ai déjà dit : le temps est votre meilleur allié. Le mariage temps et intérêt composé est plus puissant qu'une locomotive, qu'une réaction à la chaîne ou qu'un circuit de Gary Carter. Rockefeller a souvent parlé de la magie de l'intérêt composé. Il a dit un jour : « Si tu veux devenir très riche, fais travailler ton argent. Ton salaire n'est rien comparativement au montant que tu peux gagner en laissant ton argent faire de l'argent. » Croyez-moi, il savait de quoi il parlait.

Armand nous donna un exemple.

– Deux jumeaux de vingt-deux ans décident de commencer à épargner en vue de la retraite. Le premier cotise à un REÉR en investissant 2 000 $ par année pendant six ans, puis il arrête d'investir. L'intérêt composé annuel de son REÉR est de 12 %. Le deuxième jumeau, qui a tendance à tout remettre au lendemain, ne cotise à un REÉR qu'à la septième année, année où son frère a arrêté. Par la suite, il investit 2 000 $ par année pendant trente-sept ans. Lui aussi reçoit un taux de rendement de 12 %. À soixante-cinq ans, ils comparent leurs avoirs dans les REÉR. Le deuxième sait que son frère a cessé de cotiser il y a trente-sept ans, alors il est certain que son REÉR vaudra au moins dix fois plus. Qu'en penses-tu, Jacinthe ?

– Je pense qu'il a tort... Sinon tu ne nous raconterais pas l'histoire, répondit-elle.

– Ouais, ouais, dit Armand en souriant. À soixante-cinq ans, ils ont chacun environ 1 200 000 $.

Armand avait atteint son but. Nous avions compris toute la puissance de l'intérêt composé et l'importance de commencer jeune à cotiser à un REÉR.

– Passons maintenant aux différentes options de placement.

– Une seule petite question, Armand, interrompis-je. Beaucoup de gens avec qui je travaille n'ont jamais eu de REÉR et maintenant, parce qu'ils cotisent à une caisse de retraite, ils n'ont plus droit de cotiser beaucoup à un REÉR. Dans leur cas, comment épargner pour avoir le même revenu à la retraite ?

– Bonne question, Éric, fit Armand. La réponse est simple. Ils doivent économiser plus de 10 % de leur revenu. Pas beaucoup plus... Disons 5 % de plus. À la retraite, le tiers de leur fonds de 10 % devrait servir à augmenter leur revenu.

– Tu veux dire leur fonds de 15 %, corrigeai-je.

– Tu as raison, reconnut Armand.

Maintenant, les placements. Il existe de nombreuses façons d'investir les cotisations d'un REÉR : l'encaisse, les obligations d'épargne du Canada, les bons du Trésor, les obligations de sociétés, les obligations du gouvernement, les certificats de placement garantis, les actions inscrites en Bourse, les fonds communs qui satisfont aux exigences concernant le contenu canadien et même ton hypothèque. En plus, tu peux détenir des investissements étrangers, à condition que 84 % de la valeur du coût de tous les investissements de ton REÉR soient canadiens.

– Pourquoi faut-il avoir 84 % de ton REÉR investi au Canada ?

– Présentement, il y a une très grande accumulation de capitaux dans les REÉR, et la mise s'accroît chaque année, répondit Armand patiemment. Pour des raisons évidentes, le gouvernement veut que cet argent reste au Canada. 16 % du contenu étranger peut sembler négligeable, mais je vous encourage fortement à en profiter. Premièrement, c'est bon du point de vue de la diversification ; deuxièmement, les occasions sont plus nombreuses avec 16 % du contenu étranger, ce qui normalement devrait augementer votre taux de rendement à long terme.

– D'après les articles que j'ai lus, les dollars REÉR doivent être investis dans des produits garantis. « Soyez prêteurs », dirait Armand. Les experts recommandent d'acheter des choses comme des obligations d'épargne ou des certificats de placement garantis. Pas vrai, Armand? demanda Jacinthe qui faisait en même temps un croquis de l'intérieur du salon.

Mathieu semblait perplexe pour la première fois de la journée.

– Quoi? Je croyais qu'il fallait être propriétaire!

– Parce que tous les dépôts en REÉR croissent en franchise d'impôt jusqu'à leur retrait, reprit Jacinthe, il n'y a aucun avantage fiscal sur les gains en capital. La croissance et l'intérêt sont imposés également, c'est-à-dire pas du tout imposés, mais le produit des REÉR est imposable au moment où il est retiré du régime pour acheter une rente ou être transféré dans un fonds enregistré de revenu de retraite (FERR).

J'étais confus.

– Un fonds enregistré de revenu de retraite?

– Éric, oublie les FERR, répondit Armand. Attends encore vingt-cinq ans avant de penser au FERR et aux rentes... D'ici là, le gouvernement aura changé les règlements au moins une douzaine de fois. Mais le commentaire de Jacinthe vaut la peine qu'on s'y attarde.

Selon plusieurs experts, les investisseurs devraient garder leur placement dans des produits garantis, parce que les gains en capital des REÉR n'ont pas de traitement fiscal préférentiel. Je ne suis pas d'accord. Est-ce que les investissements garantis sont les seuls valables juste parce que l'intérêt et les gains en capital sont traités sur un pied d'égalité par l'impôt? Supposons que, par une planification judicieuse de la propriété, vous puissiez obtenir un rendement annuel moyen de 13 %. Achèterez-vous des obligations d'épargne du Canada et des certificats de placement garantis qui offrent un taux de rendement de 7 ou 8 %, seulement parce tous les revenus sont imposés pareillement? Bien sûr que non!

Au cours des années, en combinant des placements dans des titres, la patience et une accumulation par achat périodique, mon REÉR a obtenu un taux de rendement près de 13 %. Les « prêteurs » ont dû recevoir environ 8 %. C'est une grande différence d'après vous ? Eh bien, voyons... 2 000 $ investis chaque année à 13 % pendant trente ans feront plus de 650 000 $, tandis que 2 000 $ investis à 8 % pendant la même période de temps feront moins de 250 000 $. C'est une grosse différence ! Le taux de rendement et la durée du placement sont les deux variables les plus importantes de l'équation. Plus importantes encore que le montant investi ! Dans l'exemple que je viens de vous donner, il faudrait investir presque trois fois plus d'argent à 8 % pour égaler le montant accumulé à 13 %.

Les soi-disant experts disent que les investisseurs ne devraient prendre aucun risque quand il s'agit de leur fonds de retraite. Leur intention est bonne, mais comme je vous l'ai dit en mai : à long terme, le rendement des placements choisis judicieusement dépassera largement celui du prêt. C'est sûr et certain. Et quel est l'investissement qui est le plus orienté sur le long terme ? Le REÉR.

– Alors, nous devrions investir dans un REÉR de la même façon que nous investissons notre fonds de 10 %, conclus-je.

– Tout à fait, répondit Armand. Il reste certains détails importants à préciser. Mathieu, l'immobilier n'est pas un REÉR admissible. Donc, tu ne pourrais pas utiliser tes cotisations de REÉR pour acheter des maisons avec ton frère.

– Et avec ma sœur ? blagua Mathieu.

– Autre détail, les fonds communs que tu achètes doivent avoir un contenu à 84 % canadien pour se conformer aux règlements du gouvernement. Tu peux acheter un fonds international à condition que, sur la valeur du coût, il représente moins de 16 % de la valeur du REÉR. En fait, parce que les choix de placement du gestionnaire se limitent à un seul pays, la performance du fonds en souffre un peu. Un fonds d'actions bien géré d'un REÉR devrait normalement rapporter 3 % de moins par année qu'un fonds international bien géré. Parce que les choix de placements sont limités, il est plus important que jamais de choisir un gestionnaire compétent. Vous savez déjà comment le trouver, on en a parlé il y a deux mois. L'important, c'est la performance à long terme.

Armand but une gorgée de café dans sa tasse aux couleurs des Expos de Montréal.

– Des questions ?

– Devrions-nous utiliser le programme de prélèvements automatiques ? demanda Jacinthe.

– Oui. À cause de l'épargne forcée et à cause de l'accumulation par achat périodique, le prélèvement automatique est la meilleure façon de procéder.

Armand déposa sa tasse et nous regarda.

– J'ai quelque chose de très important à vous dire, écoutez-moi attentivement. J'ai dit que les fonds communs étaient un investissement à long terme. Sur une longue période de temps, disons une décennie, l'économie, et par conséquent la Bourse, connaîtront une bonne performance. Sur une période plus courte, disons cinq ans ou moins, il est beaucoup plus difficile de prévoir.

– Oui, mais nous achetons nos REÉR pour trente ans. Qui s'en soucie ? dis-je en haussant les épaules.

– Tu t'en soucieras, Éric... Et vous tous, d'ailleurs. Supposons que tu as cinquante ans, que tu es assuré de prendre ta retraite à cinquante-cinq ans et que ton REÉR est investi dans un fonds commun. Tu n'as plus que cinq ans devant toi... Et si la Bourse était mauvaise au cours de ces cinq années ? Parce que tu auras besoin de ton REÉR pour augmenter ton revenu de retraite, tu ne pourras pas te permettre d'attendre une amélioration du marché. Vous connaissez la Loi de Murphy? Eh bien, protégez-vous.

– Si je comprends bien, continua Mathieu, tu dis qu'à la veille de prendre notre retraite, nous devrions transférer l'argent de notre REÉR de propriété, c'est-à-dire de fonds commun, à un outil garanti?

– C'est exactement ce que je dis, Mathieu. Vous êtes très loin de la retraite pour le moment, mais promettez-moi que vous y réfléchirez. Lorsque vous serez à sept ou huit ans environ de votre retraite, encaissez vos fonds communs au bon moment et achetez des placements garantis.

– Oui... Mais si à ce moment-là, la Bourse et mes fonds sont à leur plus bas? demanda Mathieu.

– Voilà précisément pourquoi j'insiste sur les mots *environ* et *au bon moment*. Lorsque vous serez à huit ans environ de la retraite, encaissez les fonds quand leur valeur sera élevée, c'est-à-dire au moment où le marché sera fort.

D'évidence, Armand était impressionné par les questions de Mathieu.

– Est-ce que tu voulais dire encaisser seulement les fonds commun de notre REÉR, ou de notre REÉR et de notre 10 %? demandai-je.

– Seulement le REÉR, parce que nous avons besoin de cet argent-là à une date précise et dans un but précis... La création d'un revenu. Le fonds de 10 %, c'est pour toute la vie. Et vous n'êtes pas forcés d'encaisser la totalité des fonds communs de votre REÉR. Vous devriez plutôt encaisser seulement la portion dont vous aurez besoin de vous servir dans quelques années.

– Est-ce qu'il faut encore éviter les actions ordinaires?

– Oui, dit Jean Louis en mettant son journal de côté. Je ne suis pas tout à fait d'accord avec l'analyse d'Armand. Je ne suis pas sûr que l'argent des REÉR doive être investi en totalité dans la propriété. Mais la partie qui l'est doit être gérée par un professionnel et non par un vendeur.

– Et toi, Jean Louis, comment as-tu investi l'argent de tes REÉR? demanda Jacinthe.

– Eh bien, la logique penche du côté d'un programme d'achat mensuel de fonds communs... mais j'avoue que j'investis la majorité des mes REÉR dans des placements garantis.

– C'est un peu contradictoire, non? dit Jacinthe en fronçant les sourcils.

– Un peu, peut-être... Mais pas totalement. Je possède plusieurs maisons. J'ai aussi beaucoup d'actions dans un fonds commun international. Avec mon REÉR, j'achète des produits garantis parce que je veux diversifier mes placements. Quand l'immobilier et le marché sont à la baisse, au moins mes investissements garantis continuent de progresser, quoique lentement.

– Tout ton portefeuille de REÉR est garanti?

– Non. J'ai une méthode. Si, au cours des deux dernières années, le marché a été à la baisse, j'achète un fonds commun avec les cotisations de l'année en cours. Acheter quand le marché est bas... Vous vous rappelez? Sinon, j'achète des investissements garantis. Le rendement annuel moyen de mon REÉR est de presque 11 %.

– Le fonds d'Armand, lui, a connu un rendement de 13 %, rappela Mathieu.

– À vous de juger, dit Armand en riant. À long terme, la propriété bien choisie est toujours gagnante. Mais si vous insistez pour avoir des produits garantis, le REÉR reste votre meilleur choix. L'intérêt qui s'y accumule étant exempt d'impôt, même les investissements garantis offrent un bon rendement à la longue. En plus, vous voudrez peut-être investir chaque année en fonction des taux d'intérêts offerts et les conditions du marché. Un peu comme le fait Jean Louis avec sa règle de deux ans. Évidemment, si les taux d'intérêts sont de douze, treize, quatorze ou plus, il devient difficile de s'en passer.

– Tu as dit que quelqu'un pouvait avoir sa propre hypothèque dans un REÉR. C'est une excellente idée! m'exclamai-je.

– Ça semble peut-être bon, mais ce ne l'est pas, répliqua Armand. Présentement, une hypothèque de 50 000 $ contractée auprès de ta banque te coûterait environ 550 $ par mois. Si tu contractais une hypothèque de 50 000 $ de ton REÉR, cela te coûterait la même somme. Car, vois-tu, selon les règlements du gouvernement, tu dois payer les taux du marché, et cela même si tu empruntes de ton propre REÉR. Alors, ton argent te coûte le même prix.

– Oui, mais au moins tu te paies de l'intérêt sur ta propre hypothèque, dis-je, sûr d'avoir marqué un point.

– Tu ne te le paies pas. Tu le paies à ton REÉR, rétorqua Armand. Cependant, ton REÉR est capable de générer de l'intérêt sans que tu y empruntes. Tu pourrais acheter un certificat de placement garanti, ou CPG, avec le produit de ton REÉR et obtenir de l'intérêt. La seule chose...

– Ouais, mais les CPG rapportent environ 2 % de moins que le coût de l'hypothèque. Alors est-ce que ton REÉR ne rapporterait pas davantage si tu lui payais un taux d'hypothèque plutôt que le taux de rendement d'un CPG?

– Éric, ce que tu dis semble correct. Mais il y a un problème. Lorsque tu contractes une hypothèque de ton REÉR, il y a de nombreux frais. Si tu empruntes moins de 30 000 $, normalement ta situation sera pire que si tu avais investi le REÉR dans un CPG... Vois-tu comme les frais sont élevés?

– Donc nous ne devrions prendre une hypothèque de notre REÉR que si nous empruntons plus de 30 000 $, résumai-je.

– Non ! Ne contracte jamais d'hypothèque à partir de ton REÉR, commença à dire Armand, parce que...

– Parce que ce n'est pas de la propriété, termina Mathieu le petit prodige financier, au moment où Armand lui tapotait l'épaule.

– Encore une fois, je ne suis pas d'accord, intervint Jean Louis. Je crois que c'est une bonne idée, quand on a un REÉR assez substantiel et quand on veut investir de façon conservatrice, de détenir sa propre hypothèque dans son REÉR.

– Tu sais, Armand, dit Jacinthe, malgré toutes tes connaissances et toute ta logique, je pense que je vais investir mon REÉR dans des outils garantis. Comme disait Jean, ça a beaucoup de bon sens du point de vue de la diversification et de l'impôt. Et puis, je crois que je dormirais mieux en sachant que mon REÉR ne risque rien. Je n'ai pas de régime de retraite, alors mon REÉR est très important pour moi.

Après tout ce que nous avions appris, la décision de Jacinthe m'apparut comme une hérésie.

– Je respecte ta décision, Jacinthe, répondit Armand. Le fait de bien dormir a son importance. Tu devrais toujours être à l'aise avec tes investissements. Même si je suis un excellent défenseur de la propriété, je dois admettre qu'il y a un endroit où un prêteur peut réussir, même richement, et c'est avec les REÉR.

Mathieu regardait attentivement pendant que Armand apportait la dernière touche à sa coupe.

– Où devrions-nous acheter notre REÉR, Armand ?

– On peut acheter les REÉR de fonds communs d'un agent de change, d'un agent d'assurance-vie ou d'un vendeur de fonds communs. Aussi, plusieurs banques et sociétés de fiducie offrent des fonds communs admissibles aux REÉR. Mais n'oubliez pas que tous les gestionnaires de fonds n'ont pas la même compétence. Faites vos devoirs ! Si, comme

Jacinthe, vous choisissez un outil garanti, achetez un REÉR *auto-géré* d'une firme de courtage, d'une banque ou d'une société de fiducie.

– Pour commencer, qu'est-ce qu'un REÉR auto-géré? Et puis, je croyais que les courtiers étaient de mauvais conseillers? demanda Mathieu.

– Mathieu! s'exclama Armand. Tu déformes mes propos. J'ai bien dit de ne pas acheter d'actions ordinaires d'un courtier, mais j'ai aussi dit qu'il y a avait beaucoup de bons courtiers. En fait, ils constituent une excellente source de conseils sur les fonds communs. Ils sont aussi qualifiés pour t'aider à gérer ton REÉR auto-géré.

Et pour répondre à ton autre question, le mot *auto-géré* est assez explicite, non? C'est un REÉR où tu prends toi-même les décisions d'investissement. C'est comme un parapluie qui peut abriter tous tes placements. Les fonds communs, les CPG, les obligations d'épargne du Canada, les bons du Trésor et même l'encaisse peuvent appartenir au même régime auto-géré. Plutôt que d'avoir des régimes éparpillés dans dix institutions, tout ton argent se retrouve dans un même régime, à un seul endroit.

Malheureusement, la plupart des gens ont peur du mot *auto-géré*. Ils l'associent aux opérations boursières. De toute façon, ils ne se sentent pas capables de gérer leur propre régime. Au départ, les régimes auto-gérés étaient conçus pour les gens qui voulaient acheter et vendre des actions dans leur REÉR. Mais, en fait, ils sont idéaux pour les gens qui veulent acheter des produits garantis... Quant à faire cavalier seul... Pas question! Tu peux recourir aux conseils d'un courtier consciencieux et habile, en tout temps.

Il y a deux facteurs importants qui font des régimes auto-gérés la solution idéale pour les personnes qui veulent des placements garantis. Premièrement, c'est le seul produit dans lequel on peut regrouper un éventail complet d'outils garantis : CPG, bons du Trésor, OEC, obligations, encaisse... Enfin, tout. Tu n'es donc pas restreint au répertoire de ta banque locale... Par exemple, les CPG et l'épargne quotidienne.

Deuxièmement, ton courtier peut magasiner les meilleurs taux. Si tu as 20 000 $ à placer et si tu veux acheter un CPG de deux ans, tu n'as pas à accepter le taux de ta banque. Ton courtier magasine, déniche les meilleurs taux et achète le meilleur choix. En sondant le marché, le courtier peut souvent trouver un taux de 1 % plus élevé que celui offert par ta banque. Dans cet exemple, 1 % se traduit par une différence de 200 $ par année. À la longue, ça fait beaucoup d'argent.

Un régime auto-géré est la meilleure façon de garantir son argent. Il n'y a pas de si, de mais ou de peut-être. La seule considération, c'est qu'un régime auto-géré peut coûter environ 100 $ par année en frais d'administration. Cette somme peut être payée à l'extérieur du REÉR et elle est déductible du revenu imposable. Mais il faut savoir que jusqu'à ce que les titres de ton REÉR valent de 10 000 à 15 000 $, les avantages ne justifieront pas les frais.

– Devrais-je acheter un CPG de 1 an, 2 ans ou 5 ans ?

Ma sœur commençait à ressembler drôlement à Lise LeBel !

– Où vont les taux d'intérêt ? À la hausse ou à la baisse ? demanda-t-elle.

– Je n'en ai pas la moindre idée. Personne d'autre non plus, d'ailleurs, répondit honnêtement Armand. Et ne laisse personne te convaincre du contraire.

Je voudrais couvrir deux autres points avant de vous laisser partir.

Premièrement, les REÉR de conjoint. Ce sont de petits bijoux. Le REÉR de conjoint est un REÉR au nom du conjoint, dont les cotisations sont faites par l'autre conjoint. Prenons l'exemple d'Éric. Il place 1 000 $ au nom de Nadia, créant ainsi un REÉR de conjoint. Pour l'année courante, il a droit à une exemption fiscale de 1 000 $, mais lorsque les fonds sont retirés, ils sont imposés au nom de Nadia. Pour des gens comme Éric, c'est une façon d'économiser de l'impôt. Il obtient sa déduction maintenant alors que sa tranche d'imposition est plus élevée que celle de Nadia. Et c'est Nadia qui payera l'impôt au moment du retrait et sera probablement encore dans une tranche d'imposition inférieure à celle d'Éric. Pour prévenir les abus, le gouvernement a mis sur pied un règlement spécial. Tout argent retiré d'un REÉR de conjoint est imposé au cotisant si des cotisations ont été faites à un régime du genre au cours des trois dernières années.

Enfin, il y a deux occasions où il est insensé de cotiser à un REÉR. Un : quand quelqu'un doit choisir entre cotiser à un REÉR ou financer sa propre affaire. Il est impératif de planifier sa retraite. Mais il est encore plus impératif de manger trois fois par jour. Si tu te lances en affaires, il est peut-être préférable de ne pas cotiser à un REÉR. Heureusement, avec le report de droit de cotisation, tu pourras avoir une deuxième chance de cotiser. Cette situation ne s'applique à aucun d'entre vous pour le moment, mais qui sait ?... Un jour, Mathieu pourrait ouvrir une agence de rencontres.

– Je prédis une fermeture le jour même, ricana Jacinthe.

– Deux : quand quelqu'un sait qu'il n'aura pas besoin d'argent plus tard dans la vie. Par exemple, si tu sais qu'un jour tu hériteras de plusieurs millions de dollars. Pourquoi sacrifier ton niveau de vie actuel en vue d'une retraite qui, de toute façon, est largement assurée ?

– Bof ! Ce n'est pas notre cas, lança Jacinthe.

Nadia, étant enfant unique, héritera un jour d'une forte somme d'argent, mais il ne faut rien planifier en fonction d'un héritage, il faut seulement en profiter. Je cotiserai donc à un REÉR dans les limites permises.

– Qu'est-ce qu'il faut faire si on n'a pas les moyens de cotiser à un REÉR et d'économiser 10 %? demanda Mathieu.

– Encore une fois, répondit Armand, essayez de faire les deux. Mais si vous n'avez pas assez d'argent et que vous devez choisir, choisissez le REÉR à cause des avantages fiscaux.

– Une dernière remarque : vous avez fait beaucoup de chemin. Vos questions sont intelligentes. Vous mettez en pratique ce que vous apprenez. Vous êtes sur le chemin de la richesse. Félicitations!

En tant que porte-parole du groupe, Jacinthe ajouta :

– C'est à toi que nous le devons, Armand. Comment pouvons-nous te remercier?

– Eh bien, en me donnant vos billets pour la partie des Expos de demain, répondit Armand pendant que nous lui payions nos coupes de cheveux.

– Pas question! rugit Mathieu. Rien ne vaut un tel sacrifice! Mais tu seras notre premier invité dans 10 ans quand nous aurons des billets de saison!

7

DEVENIR
PROPRIÉTAIRE

– Eh bien! Si ce n'est pas Jack Nicklaus qui arrive!
lança Jacques en me voyant entrer chez Armand
accompagné de Mathieu et de Jacinthe. Depuis
quand Bromont fait-elle partie du circuit professionnel de golf?

– Jack, c'est tout un honneur! Je peux avoir votre
autographe? C'est pour ma femme, évidemment!
blagua Jean Louis.

– As-tu gagné un trophée ou quelque chose?
demanda Armand.

– Un instant, les gars. J'ai l'impression d'être à
une conférence de presse. Non, Bromont ne fait pas
partie du circuit. Oui, tu peux avoir mon autographe.
Et oui, Armand, j'ai gagné un trophée.

– Quel club as-tu dévalisé? demanda Hugo en me
tendant un beigne.

– Si vous voulez, revivons l'événement, intervint
Mathieu d'un ton sarcastique. J'ai entendu l'histoire
seulement deux cents fois... Il fait un soleil radieux,
c'est un mardi après-midi sans vent et Éric Ostiguy
se présente au départ du troisième trou. Cent
soixante-trois verges devant lui, un cours d'eau sur
la gauche, une fosse de sable sur la droite, des
obstacles partout. Éric se moque du danger, prend
un fer 7, s'élance... La balle file droit devant, fait un
petit bond et puis roule dans la coupe.

La foule, c'est-à-dire monsieur Ostiguy et moi-même, est en délire. Éric aussi, naturellement. Non seulement il réussit un trou d'un coup, mais en plus il enregistre un minimum à vie de 73. Et il dépouille par le fait même son meilleur ami et son géniteur de tout leur argent. Comme de raison, il nous a payé un verre. Une autre page d'histoire s'est écrite cet après-midi fatidique. C'était un honneur que d'y prendre part à mon humble façon.

– Tu crèves de jalousie, dis-je en riant.

– Quand retournes-tu à Montréal, Jack? Quand doit accoucher madame Nicklaus? demanda Armand.

– Nous partons lundi. Je ne peux pas croire que cinq semaines sont déjà passées, répondis-je en hochant la tête. Nadia doit accoucher dans seize jours, le 5 septembre plus précisément.

– Tu dois être énervé!

– Énervé n'est pas le mot juste. Je peux à peine dormir la nuit. En plus du bébé, nous allons acheter une maison très bientôt. Être parents, propriétaires et voir les Expos dans la course au championnat, tout ça en un mois, c'est incroyable!

Tu sais, c'est bizarre, mais je suis plus énervé à l'idée d'acheter une maison qu'à l'idée de devenir père. Ça ne doit pas être si difficile de changer une couche! C'est l'idée d'emprunter 80 000 $ qui me tracasse.

– Allons, Éric. On dit que l'achat d'une maison est la chose la plus intelligente, le meilleur investissement qu'on puisse faire, dit Mathieu pour me rassurer.

– Tu ne regretteras jamais d'avoir acheté une maison, Éric. Je te le garantis, affirma Jean Louis.

– C'est vrai, confirma Jacinthe. Tu sais ce qu'on dit : « Payer un loyer, c'est jeter son argent par les fenêtres. »

– Quelle coïncidence! Le sujet d'aujourd'hui, c'est la propriété immobilière. En fait, ce n'est pas une si grande coïncidence, confessa Armand. J'allais parler de l'épargne et du crédit, mais ça pourra attendre le mois prochain.

Je veux commencer par dire que peu importe qui est ce «on» pour qui louer c'est jeter son argent par les fenêtres, «on» se trompe. J'ai déjà lu ça dans plusieurs revues financières et je ne comprends toujours pas. Le loyer n'est pas une dépense plus inutile que la nourriture ou les vêtements. Tu as besoin d'un abri. Ce sont les trois nécessités de base de la vie. La location est une façon d'acquérir cet abri et, dans certains cas, c'est une façon très intelligente de le faire.

Je vais vous dire un petit secret. La raison pour laquelle la majorité des propriétaires disent que leur maison est leur meilleur investissement, c'est qu'ils n'en ont pas d'autres. Mes clients me disent toujours : «Tu sais, Armand, ma maison, c'est le meilleur investissement de ma vie.» Je leur demande quels sont leurs autres investissements et ils répondent : «J'ai déjà acheté des vieux timbres... Oh! et une action à la Bourse de l'Alberta.» Vous comprenez où je veux en venir...

– Minute, Armand, dis-je. Es-tu en train de nous dire que tu ne crois pas à la propriété d'une résidence personnelle? Je n'ai jamais entendu parler de quelqu'un qui avait perdu de l'argent en achetant sa maison. Et tu y vis gratuitement.

– Non, Éric, ce n'est pas ce que je dis. Je dis que les gens se font une idée fausse de la propriété d'une résidence personnelle. Est-ce que je crois que tu devrais avoir ta maison, Éric? Oui. Mais est-ce que tout le monde devrait avoir une maison? Non.

La nourriture, les vêtements et le logement sont les trois besoins primaires de la vie. Tout le monde a besoin d'un logement et on peut l'avoir de deux façons : en le louant ou en l'achetant.

– Je veux être propriétaire, dis-je. Mes parents ont acheté une maison il y a trente ans pour 15 000 $. Aujourd'hui, elle vaut plus d'un quart de million. C'est inouï !

– Et ça fait un taux de rendement de... ? demanda Armand.

– Je ne sais pas... En trente ans... ça doit être très élevé.

– Environ 10 %. Un taux annuel composé de 10 %, c'est si inouï ? demanda Armand.

– Je suppose que non. Mais tu vis là durant toutes ces années, sans payer de loyer, fis-je remarquer.

– Tu arrives au cœur de l'affaire, Éric. Quel a été le paiement initial de tes parents ?

– Je me souviens que papa m'a dit que c'était 25 %. Ce qui donne...

– 3 750 $, répondit Mathieu.

– Il leur restait donc une hypothèque de 11 250 $, continua Armand. Le versement mensuel était très près du prix de location d'une maison. En réalité, ce n'est pas 15 000 $ qui sont devenus 250 000 $. Ils ont fait un quart de million à partir de 3 750 $.

– Je suis complètement perdue, avoua Jacinthe.

– Tes parents n'ont investi que 3 750 $ de leur poche. Le reste a été emprunté. Les coûts de remboursement étaient sensiblement les mêmes que s'ils avaient loué la même maison, ce qui veut dire que l'achat de la maison ne leur a réellement coûté que le paiement initial. Le versement mensuel de l'hypothèque était très comparable à un loyer.

Prends la transaction immobilière de Mathieu. La maison coûte 77 000 $ et l'hypothèque est de 57 000 $. Le versement hypothécaire mensuel, taxes comprises, est d'environ 670 $. Ce montant est payé par le loyer. Ainsi, Mathieu et son frère n'ont qu'à défrayer le paiement initial.

Pour une résidence personnelle, ce n'est pas différent. Tu es ton locataire. Tes frais hypothécaires sont couverts par ton propre loyer... Un loyer que de toute façon tu paierais.

– Tu dis que nos parents n'ont pas fait 250 000 $ avec 15 000 $ mais avec 3 750 $. Vrai ? répétai-je pour m'assurer que j'avais bien compris.

– Exactement, Éric. C'est un taux annuel composé de... presque 15 %, termina Armand avec l'aide de la calculatrice de Jean Louis.

– C'est tout ? demanda Jacinthe.

– « C'est tout ? » répéta Armand incrédule.

– Ce n'est pas ce que j'ai voulu dire, dit Jacinthe.

Je sais bien que 15 %, c'est un excellent taux de rendement. C'est que je croyais qu'il aurait fallu un rendement beaucoup plus élevé que 15 % pour faire 250 000 $ avec 3 750 $.

– La magie de l'intérêt composé est étonnante, dit Jacques.

– C'est un excellent taux de rendement, renchérit Mathieu. Surtout que c'est en franchise d'impôt, n'est-ce pas ? Et pendant tout ce temps-là, tu fais de l'argent dans le confort de ton foyer. Pas surprenant que les gens disent que leur maison, c'est leur meilleur investissement.

– Tu as raison, Mathieu, dit Armand. Ta résidence principale, c'est-à-dire la maison dans laquelle tu vis, peut être vendue sans entraîner de dette fiscale.

– Est-ce que ma femme et moi pourrions chacun posséder une maison ?

– Bien essayé, Éric. Mais non. Depuis 1981, chaque famille a droit à une seule résidence principale à la fois.

– Je suppose que ma propriété n'est pas admissible, déduisit Mathieu.

– C'est exact, parce que tu n'y vis pas, confirma Armand.

– La franchise d'impôt sur la vente de ta résidence principale, reprit Jean Louis, en fait déjà un investissement très intéressant. Quand on y ajoute le plus grand avantage de l'immobilier, l'*effet de levier*, on a le meilleur investissement au monde !

– L'effet de levier ?

– C'est un terme de placement qui nous vient d'une des plus grandes sommités de notre époque : monsieur Jean Louis, répondit-il humblement. L'effet de levier s'applique à un placement qui peut être acheté avec un paiement initial minime, c'est-à-dire contre lequel on peut emprunter, et qui peut également produire un revenu qui annule les coûts de l'emprunt. Tu vois, non seulement on peut emprunter sur la valeur de sa maison, c'est-à-dire contracter une hypothèque, mais on peut aussi payer les frais de cet emprunt avec le revenu de location. C'est cet effet de levier qui fait de l'immobilier le meilleur investissement de tous les temps.

– Jean Louis, tu devrais faire de la télévision, blagua Armand. Mais je suis d'accord : l'effet de levier est la raison pour laquelle l'immobilier est un investissement si intéressant. Le fait que le revenu de location annule les frais d'emprunt signifie qu'un investissement relativement petit, le paiement initial, peut croître de façon extraordinaire quand la valeur des maisons ne croît que de 10 % par année ou même moins.

– Si tu avais acheté une maison de 100 000 $ à Montréal il y a quelques années, reprit Jean Louis, elle pourrait valoir aujourd'hui 125 000 $, soit une hausse de 25 % en deux ans. Pas mal ! Mais si ton paiement initial n'était que de 25 000 $, alors la plus-value de ta propriété représenterait pour toi un taux de rendement de 100 %. Les versements hypothé-caires sont payés par le loyer, que ce soit toi ou un locataire qui le paie.

On comprend pourquoi Jean Louis réussit si bien en affaires : il croit à ce qu'il vend.

– L'effet de levier, la franchise d'impôt sur la vente et le plaisir de posséder sa maison... Alors pourquoi y a-t-il encore des locataires ? Une meilleure question, c'est : pourquoi est-ce que *je* loue ? fit Mathieu.

– Malgré tout, il y a aussi de bonnes raisons de louer, répondit Armand. Pour certaines personnes, la location peut être préférable à la propriété.

Il y avait quelque chose qui clochait dans l'exemple que j'ai donné tantôt, mais personne ne l'a remarqué. Quand je parlais du versement hypothécaire mensuel de vos parents, j'ai dit qu'il était comparable au prix de location d'une maison semblable. Nous avons retenu cette supposée parité entre un versement hypothécaire et un loyer dans tous nos exemples. Le problème...

– J'ai compris, interrompit Mathieu. J'ai vraiment compris ! On a tenu pour acquis que l'endroit que l'on choisit de louer est semblable à la maison que l'on choisit de ne pas acheter. Il se peut que ce soit faux. En fait, c'est rarement vrai. Moi, par exemple, je ne vais pas louer une maison avec deux chambres. Mon logement me suffit.

– Mathieu, tu développes tranquillement la bosse des finances, dit Armand en guise de compliment. Pour beaucoup de gens, c'est faux qu'un versement hypothécaire serait égal au coût de leur loyer. L'exemple de Mathieu résume bien la situation de beaucoup de célibataires. Ils ont le choix entre un loyer de 450 $ ou une hypothèque de 850 $. Tout à coup, ils ne comparent plus des pommes avec des pommes. Oui, la propriété d'une résidence personnelle représente un solide placement grâce à l'effet de levier et au traitement fiscal préférentiel. Mais c'est 400 $ de plus par mois que le loyer ! C'est beaucoup d'argent. Et si Mathieu louait toute sa vie en ajoutant cette différence de 400 $ à son fonds de 10 % ?

C'était un bon argument. Nous connaissions maintenant la puissance de l'intérêt composé.

– Beaucoup de célibataires veulent à tout prix devenir propriétaires. Cette envie irrésistible a deux sources. Premièrement, les parents disent à leurs enfants que l'achat d'une maison est la chose la plus intelligente à faire. Deuxièmement, l'augmentation phénoménale des prix des maisons au cours de la dernière décennie. Les gens craignent que s'ils n'achètent pas maintenant, ils ne pourront jamais acheter. La panique est injustifiée. Il y a des malheurs bien pire que d'être à loyer.

– La faille de ton raisonnement, Armand, c'est que tu tiens pour acquis que les gens investiront la différence. Mais tu sais bien que la plupart ne le feront pas, disputa Jean Louis.

– Je te concède que la propriété d'une résidence personnelle est le programme d'épargne obligatoire par excellence. C'est un autre de ses avantages. En effet, si tu ne fais pas tes versements hypothécaires, la banque a tendance à s'énerver. Mais je crois qu'en se payant en premier, un locataire peut s'auto-discipliner à épargner une partie de la différence entre l'hypothèque et le loyer. Je dis une partie, parce qu'il n'est pas nécessaire de tout mettre de côté pour en sortir gagnant.

– Comment ?

– Pense au propriétaire. Il est emballé parce que la valeur de sa propriété augmente, mais dans la plupart des cas cette augmentation ne lui apporte rien. S'il veut déménager, toutes les maisons du voisinage sont également à la hausse. Et...

– Et si le propriétaire veut vendre et redevenir locataire ? interrompit Jean Louis. Alors l'augmentation de la valeur lui apporte quelque chose.

– Oui, je l'admets. Mais vous savez quoi ? Ça se produit rarement. Rares sont les personnes âgées qui vendent leur maison volontairement, puis déménagent dans un appartement ou un foyer pour personnes âgées. La plupart des gens meurent alors qu'ils sont toujours propriétaires de leur maison. En un sens, ils n'ont pas bénéficié de l'augmentation de la valeur de leur maison.

L'argument de Armand était valable. De nos huit grands-parents à Nadia et à moi, six étaient morts alors qu'ils étaient encore propriétaires de leur maison. Même ma grand-mère, la partisane des Expos qui vit maintenant «Aux portes du paradis», possède toujours sa vieille maison.

– Je ne suis pas tout à fait d'accord, Armand.

Venant de Jean Louis, cette déclaration n'était pas surprenante.

– J'ai connu beaucoup de gens qui ont vendu leur maison pour augmenter leur revenu de retraite. Et puis, les gens qui ne l'ont pas vendue vivent maintenant sans payer de loyer.

– Vrai, acquiesça Armand. Mais les véritables coûts d'une propriété, même sans hypothèque, se rapprochent du coût d'un appartement confortable. Les taxes foncières, les assurances, les services publics, l'électricité, les travaux d'entretien, sans compter le temps qu'on y met, représentent un coût annuel important.

Mais je ne veux pas m'étendre sur ce sujet. Je pense que la propriété d'une résidence personnelle est un excellent investissement, un des meilleurs. Mais *excellent* n'est pas synonyme de *parfait*. Je voudrais seulement dire à nos jeunes amis, surtout aux célibataires, qu'ils ne jettent pas leur argent par les fenêtres en demeurant locataires. Prenez l'exemple de Hugo, ce paresseux. Il a été locataire toute sa vie et parce que le coût de son loyer est beaucoup moins élevé que le coût d'une hypothèque, il a consacré plus d'argent à d'autres fins et il a pu épargner plus que le 10 % de son revenu.

– Je crois à l'immobilier, mais je suis quand même heureux de t'entendre dire tout ça, admit Mathieu. L'immobilier, comme investissement, m'attire, mais je déteste bricoler, tondre le gazon, poser de la tapisserie, tous ces travaux domestiques. Si j'achetais une maison, même petite, avec le salaire que je gagne, je serais obligé de me serrer la ceinture. Je pourrais y arriver, mais il ne me resterait pas beaucoup d'argent pour les voyages, le golf... et les filles.

– Ouais, il y a beaucoup de filles... dans tes rêves, dit Jacinthe.

– Et voilà l'exemple parfait de quelqu'un pour qui il est préférable de louer un appartement, dit Armand à Jean Louis. Ne t'en fais pas, Jean. Ça veut dire qu'il aura plus d'argent pour acheter des maisons avec son frère. Alors tu feras encore de l'argent avec lui.

– Armand, tu sauras qu'avec la moitié de ma commission sur la vente de leur maison, j'ai fait repaver leur allée, riposta Jean Louis, indigné.

– C'est vrai, Armand, répondit Mathieu. Sous ses allures de bandit, c'est un cœur en or.

– Et moi, je t'ai acheté condo, Jean... et tu ne m'as même pas invitée à dîner, dit Jacinthe en lui faisant un clin d'œil.

– En parlant de condo, Jacinthe, voilà un très bon exemple d'un bon investissement.

Le compliment d'Armand sembla prendre ma sœur par surprise.

– Avec ton revenu et tes goûts, je suis certain que tu voulais un endroit avec vue sur la marina. J'ai raison ?

– Oui, répondit Jacinthe toute penaude.

– Voilà un cas où il a été préférable d'acheter. Je suis certain que les coûts d'hypothèque et les frais de condo sont sensiblement les mêmes que le prix du loyer pour ce même type d'appartement.

– À peu près les mêmes. C'est pourquoi j'ai décidé d'acheter, dit Jacinthe.

– Oui, à la seule différence qu'en décidant d'acheter, tu as dû verser un paiement initial. De toute façon, tu as pris la bonne décision. Et puis, avec un condo tu n'auras pas à t'occuper de l'entretien, des réparations, etc.

– Et je n'en ai vraiment pas le temps, Armand.

– Éric, tu sembles être sur la bonne voie toi aussi. Avec l'arrivée d'un enfant et Nadia qui travaille à la maison, tu auras besoin de plus d'espace. La maison est une bonne décision, conclut Armand en donnant un coup de brosse sur mon chandail.

– *Semble* n'est pas le mot que je veux entendre, Armand, dis-je en cédant la chaise à Mathieu.

– Je dis « semble » parce qu'il y a un cas où il est déconseillé d'acheter, même à une personne pour qui la propriété d'une résidence personnelle est le meilleur choix.

– Mais c'est une contradiction, fis-je remarquer.

– Non, Éric. Demande aux gens de Calgary... Si le prix des maisons est sur le point de chuter, c'est préférable de ne pas acheter, répondit Armand.

– Oui, évidemment. Mais Calgary, c'est différent. L'économie repose sur une seule industrie. Quand les prix du pétrole ont chuté, l'économie de la ville a suivi. Par contre, Bromont a une économie plus diversifiée. Sûrement que dans les régions où l'économie est diversifiée, on n'a pas à craindre une chute de l'immobilier.

– Tu as tort, fit Armand. L'immobilier peut descendre. C'est un fait, dans la plupart des régions, l'immobilier a connu une croissance régulière depuis la crise de 1929. Mais, attention ! aucune tendance n'est éternelle.

– Armand, je respecte ton opinion, commença Jacinthe, je sais que tu t'y connais, mais tous les économistes disent que l'immobilier ne connaîtra pas de baisse. Il y a de moins en moins de terrains disponibles.

– Ah ! Encore ce fameux argument, fit Armand en souriant.

– Oui, la disponibilité des terrains est limitée. Encore qu'il y ait des centaines d'acres par habitant au Canada. Je ne dis pas que l'immobilier baissera, mais je veux vous mettre en garde.

Au cours des dernières années, quelques nouveaux facteurs conjugués ont fait grimper en flèche le prix des maisons dans certaines régions. D'abord, les femmes ont envahi le marché du travail. Ensuite, les Canadiens font moins d'enfants. Ces deux facteurs réunis entraînent une hausse du revenu familial, dont la plus grande partie sert à l'achat d'une maison. Ajoutons les *baby-boomers* qui ont vieilli et qui alimentent maintenant la demande pour les maisons. Mais surtout, les gens n'ont plus peur d'emprunter comme avant. En fait, depuis cinquante ans, emprunter n'est plus une tare, c'est devenu un passe-temps national. *Acheter maintenant, payer plus tard* est le nouveau mode de vie de notre société. Résultat : le taux d'endettement des consommateurs a atteint un niveau alarmant. Ces tendances ne peuvent pas continuer sans cesse. Les valeurs immobilières ne sont pas soutenues autant par les facteurs démographiques qu'il y a vingt ans.

– Armand, pourquoi est-ce que tu ne m'as pas dit tout ça avant que je signe ? demanda Mathieu en haussant le ton.

– Pour plusieurs raisons, Mathieu. Premièrement, comme Jacinthe l'a fait remarquer, la plupart des experts ne partagent pas mon pessimisme. Deuxièmement, je ne crois pas que le marché des biens immobiliers va s'effondrer, je pense seulement qu'il peut connaître une baisse pendant quelques années. Ça n'en reste pas moins un superbe investissement à long terme. Troisièmement, tu as acheté une propriété sous-évaluée dans un secteur qui n'a pas connu de flambée des prix. Quatrièmement, la maison est située près de l'eau. Je sais que ça peut paraître bizarre, mais dans l'immobilier, un bord de l'eau perd rarement sa valeur. Cinquièmement, ton frère peut accroître la valeur de la maison en investissant très peu d'argent. Sixièmement, vous avez établi les coûts de l'hypothèque pour cinq ans et votre revenu de location pour trois ans. À tout prendre, je crois que vous êtes dans une bonne situation financière. Les gens qui devraient s'inquiéter ou du moins être prudents sont ceux qui ont beaucoup de propriétés immobilières fortement hypothéquées et qui n'ont pas beaucoup d'autres actifs.

– Et puis moi, Armand ? Me suggérerais-tu d'attendre ? demandais-je anxieusement.

– Non, Éric. Avec la venue du bébé et Nadia qui travaille à la maison, ce serait bien que vous possédiez votre maison. Et puis, vous habitez dans une ville prospère et en pleine croissance, vous n'avez pas à vous inquiéter de perdre votre travail, vous avez donné un paiement initial substantiel. Qui plus est...

– Qui plus est, Armand pourrait se tromper, interrompit Jean Louis.

– C'est vrai, admit Armand avec un large sourire. Voici ce que je pense de la propriété d'une résidence personnelle.

Pour la plupart des gens, c'est un excellent placement. L'effet de levier, la franchise d'impôt, l'épargne forcée, la fierté du propriétaire et la lecture de son journal au coin du feu sont des avantages difficiles à battre. C'est aussi mon bien le plus cher. Mais tout ce que j'ai essayé de vous faire comprendre, c'est que ce n'est pas toujours l'idéal d'être propriétaire. Je dois ajouter, avant que Jean ne le fasse, que même si vous avez acheté une propriété pour les mauvaises raisons et au mauvais moment, vous vous en tirerez probablement très bien avec le temps.

Jean Louis s'est levé et a applaudi.

– Mais, Armand, peux-tu nous donner quelques conseils sur l'achat d'une maison ? Qu'est-ce qu'il faut rechercher ?

– Tu devrais étudier l'achat d'une maison sous deux aspects.

– Ouais. La façade et le derrière, railla Hugo.

– Elle est bien bonne, Hugo, reprit Armand, sarcastique. La maison doit répondre à tes besoins et à tes désirs, en plus d'être un bon investissement. Personne ne peut choisir à ta place. Toi seul connais tes goûts et tes besoins.

– Et sa femme ! hurla Hugo.

– Et ta femme, reprit Armand. Moi, je peux seulement te donner quelques conseils du point de vue de l'investissement. Il faut acheter la maison la plus délabrée sur une belle rue et la rénover. L'emplacement est toujours le facteur clé. La proximité des services, écoles, tranports en commun, magasins, est une chose importante.

Tu veux t'assurer que la valeur de ta maison augmentera au moins proportionnellement à celle des autres. Pour y arriver, tu dois t'assurer que les acheteurs éventuels trouveront ta maison attrayante. Plus ils seront nombreux, mieux ça sera pour toi. Construis une terrasse, les gens adorent les terrasses. Tu récupéreras ton argent et plus. Les petites améliorations s'amortiront complètement. Côté placement, fais attention aux piscines. La plupart des gens n'en veulent pas. Donc, au moment de vendre, il y aura moins d'acheteurs sérieux. Une moins grande demande se traduit par un prix de vente moins élevé.

– Ouais, mais si je veux une piscine.

– Eh bien, tu en achètes une ! Quand tu deviens propriétaire, il est plus important de satisfaire tes besoins et tes désirs que de faire l'investissement idéal. N'oublie pas que tu dois vivre chaque jour dans ta maison.

Armand s'arrêta pour regarder par la fenêtre une belle femme blonde qui passait.

– C'est ma nièce, prétendit-il.

– Ça y est? m'inquiétai-je. Plus de conseils?

– Écoute, achète la maison que Nadia et toi aimez. Bien sûr, si vous en avez les moyens. Je ne peux pas vous dire quelle maison acheter. Nos goûts ne sont pas les mêmes. J'ai un tapis à longs poils dans ma chambre et tu as un miroir au plafond...

– J'en ai un aussi, Éric! gloussa Jacques.

– Jacques, je n'ai pas de miroir au plafond de ma chambre. Tu es bizarre... Armand, quelle hypothèque et quelle période d'amortissement je devrais prendre?

– Comprenez-vous bien la différence entre la durée d'une hypothèque et sa période d'amortissement? La durée de l'hypothèque est le temps pour lequel vous êtes liés. Entre autres choses, la convention d'hypothèque détermine le taux d'intérêt, le mode de paiement, les clauses de pénalité et les options de remboursement anticipé tandis que la période d'amortissement détermine le temps qu'il faudra pour rembourser entièrement la dette.

Si vous empruntez 50 000 $ pour l'achat d'une maison, avec une hypothèque de cinq ans à un taux d'intérêt de 12 % sur une période d'amortissement de vingt-cinq ans, votre versement mensuel sera de 516 $.

Armand devait avoir cet exemple en mémoire, il n'a même pas vérifié les chiffres auprès de Jean Louis.

– Pour vingt-cinq ans?

– Non, pour cinq ans. Ensuite l'hypothèque viendra à échéance. À ce moment-là, si les taux d'intérêt sont inchangés, vous continuerez de payer 516 $ par mois. Il vous restera encore vingt ans. Mais si les taux d'intérêt augmentaient à 14 %, vous devriez ajuster votre versement mensuel en conséquence. Assurez-vous seulement, en renouvelant votre hypothèque, que vous ne revenez pas à une période d'amortissement de vingt-cinq ans. Sinon, vous n'en finirez jamais de payer!

Jacinthe, dont l'hypothèque d'un an venait à échéance sous peu, portait une grande attention.

– Personne, et j'insiste là-dessus, personne ne peut prédire de façon précise le cours futur des taux d'intérêt, à court ou à long terme. Il y a un homme aux États-Unis qui est payé des centaines de milliers de dollars par année pour prévoir les taux d'intérêt et il se trompe à tout coup. Imaginez ce qu'il gagnerait s'il avait raison! Parce que personne ne peut prévoir l'avenir, il est très difficile de choisir la durée d'une hypothèque. «Si je contracte une hypothèque d'un an et entre temps les taux grimpent à 18 %, qu'est-ce que je fais? Je vais avoir de gros problèmes.» «Et si je prends une hypothèque de cinq ans mais les taux baissent à 10 %? Je vais perdre tout cet argent.» C'est un choix difficile.

Jean et moi sommes d'accord sur le point suivant: dans la plupart des cas, un renouvellement pour cinq ans s'avère le meilleur choix. Si vous êtes certains de pouvoir faire les versements au taux demandé pour cinq ans, vous n'aurez jamais de problèmes. En fait, vous fixez vos coûts pour cinq ans, mais dans la plupart des cas vos revenus augmentent entre temps. Évidemment, les taux peuvent chuter et vous regretterez de ne pas avoir choisi un terme plus court. Mais ils pourraient aussi grimper et vous vous féliciterez d'avoir choisi un terme de cinq ans. Le contre, c'est que les taux chutent et que vous payiez plus que le voisin... Mais vous survivrez! Le pour, c'est que si les taux montent en flèche, vous ne serez pas forcés de vendre votre maison. Vous aurez l'esprit tranquille. C'est un avantage inestimable.

– Et qu'arrive-t-il si les taux sont à 20 % au moment de contracter son hypothèque?

– Bonne question. Dans ce cas, je choisirais une hypothèque à court terme en espérant une baisse des taux, répondit Armand.

– Mais tu as dit qu'il était impossible de prévoir.

– J'ai dit *espérer* et non *prévoir*. S'il arrivait que les taux grimpent bien au-dessus de 20 % pour une longue période de temps, vous auriez des problèmes beaucoup plus importants que votre hypothèque... Ça serait la guerre civile ! Évidemment, les taux d'intérêt du jour joueront un grand rôle dans votre décision, mais la plupart du temps une hypothèque de cinq ans reste le meilleur choix.

– Je suis d'accord, dit Jean Louis en surveillant la « nièce » d'Armand qui revenait en sens inverse. Celui qui choisit un terme de six mois, puis d'un an, puis un taux variable en essayant tout le temps de prédire l'avenir, se compte des histoires. Oui, quelquefois, même souvent, les choses vont bien pour lui. Il pourrait même faire mieux que ses amis au bout de cinq ans. Mais le jour où il se trompera, ses affaires pourraient aller très mal. Il y a même des gens, je le jure, qui en perdent le sommeil. Ils m'appellent et me demandent où en seront les taux d'intérêt dans deux mois.

– Qu'est-ce que tu réponds ?

– Je leur réponds que nous ne savons pas où nous serons dans deux mois, encore moins où en seront les taux d'intérêt.

– Et la période d'amortissement ? continuai-je.

– Je vous suggère de commencer avec un terme de quinze ans, répondit Armand. Dans un sens, on peut dire que l'amortissement est l'inverse de l'intérêt composé. Durant les premières années, vous ne payez pratiquement que de l'intérêt. Progressivement, vous commencez à rembourser le capital. Dans deux mois, nous approfondirons les mérites du remboursement anticipé de l'hypothèque. Pour le moment, disons simplement que c'est une bonne idée... une très bonne idée même pour votre santé financière. Une des plus faciles et des meilleures façons d'y parvenir est de raccourcir votre période d'amortissement.

– C'est abordable ? demanda Mathieu.

– À un taux de 12 %, une hypothèque de 70 000 $ amortie sur 25 ans coûte 722 $ par mois. La même hypothèque amortie sur 15 ans coûte 827 $ par mois. En payant 100 $ de plus par mois, vous raccourcissez votre terme de 10 ans et vous économisez des milliers de dollars en intérêt.

Armand déposa ses tableaux d'hypothèque à côté de l'horaire des Expos, deux documents d'une valeur inestimable.

– Et parce que c'est de l'épargne forcée, ce n'est pas si difficile, conclut Jacinthe.

– Tôt ou tard, toute cette épargne forcée finira par nous tuer, remarquai-je à la blague.

– Éric, nous parlerons d'épargne et de gestion de crédit le mois prochain. Crois-moi, tu n'aura pas à vendre ton trophée, m'assura le riche barbier.

Deux derniers points au sujet de votre hypothèque. D'abord, si possible, payez à toutes les semaines. La différence est énorme sur le remboursement total. Ensuite, magasinez pour trouver le meilleur taux. Votre banque n'est pas nécessairement le meilleur choix. Une autre banque pourrait vous offrir une hypothèque à un demi point de moins. Ça aussi peut faire une grande différence... D'autres questions ?

– J'en ai une. En supposant que ton travail t'amène à déménager tous les deux ans, devrais-tu acheter une maison à chaque fois ?

– Bonne question, Éric. Ça ne concerne personne d'entre vous, mais c'est une bonne question. Même le plus fervent supporteur des investissements immobiliers serait d'accord pour dire que, sur une période de deux ans, il est impossible de prévoir le marché. Rappelle-toi de ça. Rappelle-toi aussi que quelques villes axées sur une seule industrie, où notre ami imaginaire serait transféré, sont des investissements plus risqués. En fin de compte, je lui conseillerais d'acheter une propriété dans sa ville natale, à condition, bien sûr, que ce soit le temps d'acheter, que ce soit une ville en pleine croissance et qu'il puisse louer sa propriété pendant qu'il loue lui-même ailleurs. De cette façon, il pourra profiter d'une croissance à long terme de l'immobilier sans assumer les risques de la propriété à court terme. C'est d'ailleurs ce que font quelques-uns des dirigeants des usines que je connais et qui demeurent présentement à Bromont. Ils louent de belles maisons ici, en gardant leurs maisons de Montréal. Quelquefois, ils ne se préoccupent même pas de louer leur maison de Montréal. Je suppose qu'ils n'ont pas besoin d'argent.

– Tu dois être leur coiffeur, blagua Mathieu. Mais que dire des jeunes couples d'aujourd'hui ? Si je voulais me marier et m'acheter une maison, ce serait difficile d'acheter une belle maison, même avec le revenu de ma femme. Et c'est encore pire pour les jeunes couples dans des villes comme Montréal.

– Malheureusement, je n'ai pas de brillante solution à ce problème, soupira Armand. Grâce à une planification financière appropriée, grâce surtout à un fonds de 10 %, n'importe quel couple pourrait s'acheter une belle maison un jour. J'ai bien dit *un jour*. Si un jeune couple veut s'acheter une maison tout de suite après le mariage, il devra faire des sacrifices. Avec les prix élevés des dernières années, c'est déjà difficile d'amasser le paiement initial. Ça veut dire bien des sacrifices : ne pas sortir les weekends ; ne pas voyager ; ne pas avoir de lave-vaisselle, de four à micro-ondes ou de magnétoscope. C'est drôle, mais dans notre société de consommation, ces privations peuvent sembler totalement injustes. Les gens de ma génération ont fait de bien plus grands

151

sacrifices en vue d'un paiement initial : autos, journaux, de bons manteaux d'hiver...

Il y a deux autres possibilités que les jeunes couples devraient étudier. La première, c'est d'emprunter l'argent du paiement initial, en tout ou en partie, d'un membre de la famille. Les parents et les grands-parents ont tendance à être un peu plus souples que les banques. Habituellement, on peut arriver à une entente où tout le monde est gagnant. Les gens empruntent leur paiement initial d'un membre de la famille à qui ils paient 2 % de moins que le taux du marché. C'est une bonne affaire pour l'emprunteur, naturellement, mais c'est aussi une bonne affaire pour le prêteur. Pourquoi ? Parce que de cette façon, la plupart du temps l'intérêt n'est pas imposé. Si cet argent avait été investi à la banque, il aurait été imposé au taux marginal du prêteur.

– Ce n'est pas illégal ? demanda Mathieu en se levant.

– Oui. Je ne pense pas que tu devrais le faire. Je dis seulement qu'il y a des gens qui le font. La deuxième possibilité pour les jeunes couples, c'est de louer une chambre dans leur nouvelle maison. Un ami a besoin d'un logis et votre sous-sol a justement une chambre, une salle de bain et une cuisinette ! Ces 200 $ ou 300 $ supplémentaires mensuels pourraient vous permettre d'acheter la propriété que vous voulez.

De nos jours, ce n'est pas facile pour les jeunes couples de s'acheter une maison. Cependant, la plupart se débrouillent bien. Je ne crois pas que ce soit un problème nouveau. Je pense plutôt qu'on en parle plus maintenant. Les jeunes d'aujourd'hui pensent qu'en quittant le nid familial, il va de soi qu'ils emménagent directement dans un petit nid climatisé. Ah, si seulement la vie était aussi simple !

– Je l'admets à regret, Armand, mais tu as bien raison, dis-je. Les jeunes ont de grands rêves souvent irréalisables. Heureusement, quelques-uns d'entre nous faisons notre possible non seulement pour réaliser nos rêves, mais pour les surpasser... Grâce à ton aide, bien sûr.

– Et le mois prochain ? demanda Mathieu.

– L'épargne, les dépenses et la gestion du crédit.

– Eh bien ! Jacinthe pourrait être une expert-conseil sur un de ces sujets, lança Mathieu en se précipitant dans la rue à la recherche de la « nièce » d'Armand.

❙8❙
L'ÉPARGNE, VOUS CONNAISSEZ ?

J'ai eu droit à une ovation debout en entrant au salon.

– Le voilà, le père de l'année ! lança Armand, fier comme un mon oncle.

– Samantha... fit Jean Louis en riant , tandis qu'Hugo fredonnait la chanson thème de *Ma sorcière bien-aimée*. C'était ton émission préférée ?

– Vous vous pensez drôles, hein ? Mais c'est précisément pour ça que nous avons choisi le nom de Samantha. Nadia et moi adorions cette émission, répondis-je honnêtement.

– Hugo, pourquoi ce brassard noir ? demanda Mathieu.

– Je le porte par respect pour toi, et pour Éric, Jean et Armand, en souvenir de vos chers disparus, Les Expos, morts et enterrés à la fin d'août. Triste affaire, bien triste affaire, dit Hugo avec toute la sincérité d'un animateur de quiz télévisé.

– On les aura l'an prochain, répondis-je sans conviction.

- Éric, revenons à des sujets plus gais, veux-tu ? dit Armand. Comment vont Nadia et le bébé ? Tout s'est bien passé ?

– À merveille. Le travail a duré seulement trois heures. Et j'ai joué un rôle majeur. Je disais : inspire, expire...

– Bons conseils... dit Hugo d'un ton sarcastique.

– Pour répondre à ton autre question, elles sont toutes les deux en grande forme. Samantha est très belle. Elle ressemble à sa mère, Dieu merci, ajoutai-je avant qu'un autre ne le fasse pour moi.

– Est-ce qu'elle frétille du nez ? demanda Jacques.

– Comme une grande comédienne, répondis-je.

– Et il paraît que vous avez acheté une maison aussi ? Félicitations !

– Merci, Armand. Ç'a été tout un mois. Nous avons acheté une belle maison dans une rue tranquille de Montréal. C'est difficile à croire, mais nous l'avons payée 10 000 $ de moins que prévu. Nous avons eu le coup de foudre pour cette maison. Les anciens propriétaires l'ont bien entretenue. Il y a sept ans, la plomberie et l'électricité ont été refaites à neuf. Il y a une grande salle familiale, un solarium et même une rotonde. Vous devriez venir... Non, à bien y penser, nous serons occupés ces week-ends-là !

– Très bien. Maintenant commençons. Je suis vraiment pressé aujourd'hui. Je dois fermer le salon à 10 h 30. Laura, la nièce de Marjo, se marie à Montréal, dit Armand en baillant à s'en décrocher la mâchoire. J'ai bien hâte...

– Voyons, Armand. C'est donnant, donnant. Je suis certaine que Marjo n'a pas toujours le goût de te suivre elle non plus.

– Pour ma défense, Jacinthe, je ne me suis pas plaint du tout quand je suis allé aux deux premiers mariages de Laura. Mais comme le « jour sacré » revient annuellement, ça commence à user nos nerfs... et notre portefeuille.

Cette dernière remarque entraîna un rire général.

– Je t'avertis, Armand, commença Mathieu, que pour la première fois en six mois je ne suis pas très emballé par notre rencontre mensuelle. Tes conseils sur la façon de devenir riche ont été fantastiques, mais c'est difficile de se préparer pour un sermon sur les mérites de l'économie. N'achetez pas de voiture luxueuse ; n'abusez pas de vos cartes de crédit ; n'empruntez pas pour les voyages ; comptez chaque cent et les dollars suivront ; ne sous-estimez pas la valeur des coupons. Un sou épargné...

– On a compris, coupa Armand. Ma philosophie sur le sujet d'aujourd'hui pourrait vous surprendre.

– Quel sujet d'aujourd'hui ? On dirait que Mathieu le sait, mais la seule chose que tu as dite le mois dernier, c'est que nous allions discuter d'épargne, de dépenses et de gestion du crédit. Allons-nous vraiment parler de la bonne façon de gérer nos affaires quotidiennes ?

– Oui, répondit Armand. Définissons d'abord ces trois concepts. Par *épargner*, je veux dire économiser pour des choses comme des voyages, des magnétoscopes et des autos ; je ne parle pas du fonds de 10 % ou des REÉR. Par *dépenser*, je veux dire faire l'épicerie ou acheter un téléviseur grand écran ; je ne parle pas de l'investissement. Et par *gestion du crédit*, je veux dire l'utilisation des cartes de crédit, des marges de crédit et des prêts à la consommation ; je ne parle pas des prêts pour les investissements et les hypothèques. Le sujet d'aujourd'hui portera donc sur la façon correcte de gérer ses affaires financières quotidiennes.

– Mathieu était donc près de la vérité, dit Jacinthe. Tu vas nous faire un sermon sur les mérites de l'économie, du magasinage des prix et du bilan financier sans dette.

– J'avoue que c'est ce que je faisais. Par le passé, je prêchais ces mérites, oui ; et mon cours d'aujourd'hui ressemblait à ce que vous venez de dire.

– Pourquoi as-tu changé ? demanda Mathieu.

– Personne ne m'écoutait, répondit Armand en forçant un sourire. Oh ! je ne devrais pas dire personne. Quelques-uns de mes élèves ont suivi mes conseils sur l'épargne, les dépenses et la gestion du crédit. Enfin, au moins un l'a fait. Et il n'est certainement pas dans cette pièce.

De toute évidence, cette remarque s'adressait à Jean Louis, Jacques et Hugo.

– Après tout... commença Mathieu.

– Laisse-moi finir, dit Armand poliment. Presque tous mes élèves ont développé la bonne habitude d'épargner 10 % de leur revenu et de l'investir. Ils ont fait un testament et souscrit à une bonne assurance-vie, ils ont raccourci leur période d'amortissement, ils ont cotisé annuellement à leurs REÉR. En fait, ils ont su allier le bon sens à des stratégies simples mais efficaces afin d'atteindre leurs buts.

Mais quand venait le temps de suivre mes conseils sur les affaires courantes comme le budget domestique, les cartes de crédit et l'autodiscipline, donc sur l'économie en général, les gens m'ont ignoré.

– Pourquoi ? demanda Jacinthe. Sans toi, leur avenir financier aurait été incertain.

– Tu devrais leur demander à eux, pas à moi. Jean, toi qui m'a déjà qualifié de « sauveur financier », pourquoi est-ce que tu ne m'as pas écouté ?

– Épargner 10 % de son revenu et l'investir dans un outil de croissance à long terme bien choisi, commença Jean Louis en souriant, faire un testament, souscrire le bon montant à une bonne assurance, garder son REÉR et raccourcir la période d'amortissement de son hypothèque, toutes ces choses ont trois caractéristiques en commun. D'abord, ce sont des principes faciles à comprendre. Pas besoin d'avoir la bosse des mathématiques pour comprendre un avantage comme l'accumulation par achat périodique. Ensuite, ce sont des théories éprouvées. On peut atteindre tous ses buts par l'application de ces principes. Et puis, on les atteint sans diminuer de beaucoup son niveau de vie. Donc, j'étais sur le point d'atteindre tous mes buts et je n'avais pas à lire les pages boursières pendant des heures chaque semaine. Je n'avais pas non plus à téléphoner à mon courtier quatre fois par jour. J'avais encore moins à passer tous mes samedis à lire de la littérature sur l'investissement. Et pendant que mon avoir net continuait de croître, je jouais au tennis ...

Ensuite, Armand a tenté de m'expliquer pourquoi je devais faire un budget domestique. Il m'a parlé de l'importance de savoir où chaque sou était passé, de lire les journaux tous les soirs en prenant note des articles en solde, et d'épargner – de ne jamais emprunter – l'argent pour faire un voyage. Je me rappelle qu'il disait : « Tu jouiras plus de tes vacances en sachant qu'elles sont payées. » Mais en écoutant Armand parler, je savais que je ne suivrais jamais ce conseil-là. Traverser la ville pour acheter du poulet en solde ? Soyons sérieux ! Faire un budget pour savoir où chaque sou est passé ? Ce n'est pas mon genre.

– Laisse-moi continuer, Jean, reprit Armand. Deux ans après avoir enseigné à Jean les principes d'une solide planification financière, nous nous sommes assis pour juger de ses progrès. Il n'avait que des A dans son bulletin. Son bilan net était impressionnant et il s'améliorait de jour en jour. Nous nous sommes félicités du bon travail acccompli. Imaginez ma surprise quand il m'a dit qu'il n'avait suivi aucun de mes conseils sur la façon de gérer ses dépenses quotidiennes ! Et il m'a avoué que presque personne d'autre ne l'avait fait non plus.

– Étais-tu fâché ? demanda Jacinthe en fronçant les sourcils.

– Non, pas du tout. J'ai vite réalisé que je devais, au contraire, être très satisfait. En somme, ma planification financière avait fonctionné en dépit d'une approche indisciplinée face à l'épargne, aux dépenses et à la gestion du crédit. Ensuite, j'ai bien compris que la façon dont quelqu'un gère ses finances quotidiennes ne me regardait pas. Les gens ne viennent pas me voir pour se faire dire qu'ils ne devraient pas manger à l'extérieur plus d'une fois par semaine. Ils viennent me voir parce qu'un jour, ils aimeraient pouvoir aller manger au restaurant tous les soirs !

– Peu importe la façon dont je dépense mon argent, reprit Hugo, si je m'occupe bien de ma planification financière.

– Encore une fois, Hugo, tu as bien raison, fit Armand avec un sourire. En fait, notre 10 % d'épargne, nos cotisations au REÉR, nos primes d'assurances et l'hypothèque ou le loyer sont les priorités. La façon dont nous dépensons le reste de notre revenu a peu d'impact sur notre avenir financier. À condition que les gens suivent les grandes lignes de leur planification financière, ils peuvent administrer sans risque, comme bon leur semble, leurs finances quotidiennes.

– Armand, j'ai une question. En avril ou en mai, tu parlais contre les budgets. Maintenant, tu dis que tu en as déjà loué les mérites. Pourquoi ?

– Le type de budget dont j'ai parlé au printemps est entièrement différent de celui que j'avais l'habitude de recommander aux personnes comme Jean. Neuf fois sur dix, on fait un budget pour créer un fonds d'épargne pour l'avenir : c'est partir perdant. Je l'ai déjà dit, il est littéralement impossible de budgéter correctement pour nos désirs et pour nos besoins. Trop souvent, en voulant tout rationaliser, on confond besoins et désirs, et ce qui ressemble pourtant à un budget bien équilibré ne sert plus à rien. Le type de budget que je recommandais à Jean et à d'autres était un budget axé sur les dépenses mensuelles domestiques. Un budget strictement centré sur les besoins. Honnêtement, je suis persuadé que ce type de budget peut être très utile. En tout cas, il m'a bien aidé depuis des années.

– La plupart des gens, reprit Jean Louis, y compris les planificateurs financiers, fonctionnent à l'envers. Ils établissent des budgets compliqués qui prévoient tout, à partir des dépenses hebdomadaires d'essence jusqu'aux sorties en passant par l'épargne en prévision de la retraite. Malheureusement, parce que la plupart d'entre nous manquons de discipline, nos besoins quotidiens grugent la plus grande partie de nos ressources financières. Et les centaines de dollars qui devaient servir à payer le versement hypothécaire et à mettre sur pied un fonds de retraite ont fondu ou ont disparu à la fin du mois. Alors les gens se plaignent que le maudit budget, ça ne fonctionne pas. Mais en suivant les conseils d'Armand, c'est la planification financière qui passe *en premier*. On peut faire ce qu'on veut avec le reste de l'argent, même l'épargner comme Armand ! C'est vraiment une question de style. Mais parce que vous vous payez en premier et que vous utilisez la technique de l'épargne forcée, un jour vous serez riches quelle que soit la façon dont vous gérez vos finances quotidiennes.

Si un planificateur financier jetait un coup d'œil sur la façon dont Jacques, Hugo et moi gérons nos finances quotidiennes, il aurait probablement une crise cardiaque. Nous faisons notre épicerie chez le dépanneur, le plein dans les stations d'essence avec service. Nous ne payons pas le solde de nos cartes de crédit à chaque mois. Nous nous inscrivons à des clubs de santé que nous ne fréquentons pas. En somme, notre gestion quotidienne de l'argent est pitoyable. Mais dans l'ensemble, notre portrait financier est assez bon. En fait, notre bilan financier général est reluisant. Nous n'aurons jamais de préoccupations financières.

J'étais sceptique.

– Armand, es-tu d'accord ?

– Bien sûr que non. En faisant preuve de discipline et de bon sens, vous pourriez faire fructifier votre argent beaucoup plus que ces gars-là. Mais je dois admettre qu'en dépit de leur je-m'en-foutisme vis-à-vis de l'épargne et de la gestion du crédit, ils sont tous les trois dans une excellente situation financière.

– Le problème, dis-je, c'est qu'il ne me restera plus d'argent pour mes loisirs après toute cette épargne forcée. Je vais devenir un misérable comptable qui budgète sans arrêt comme toi.

– C'est faux, Éric, répondit Armand. C'est archi-faux. Je réalise bien que ça semble une tâche énorme. Mais regardons-y de plus près. Éric, on est entre amis, quel est le salaire mensuel combiné que toi et Nadia rapportez à la maison ?

– Si les articles de Nadia continuent de se vendre aussi bien, elle devrait faire entre 5 000 $ et 6 000 $ de plus que prévu. Notre salaire combiné devrait être approximativement de 3 300 $ par mois.

– Très bien. 3 300 $ moins dix pour cent, ça fait 2 970 $. Et combien peux-tu cotiser à un REÉR mensuel ?

– Cette année, compte tenu de mon facteur d'équivalence, j'aurai droit de cotiser environ 200 $ au REÉR de conjoint. Pour sa part, Nadia devrait cotiser environ 150 $ par mois. Ça fait 2 970 $ moins 350 $, il reste 2 620 $. Nos primes d'assurance-vie s'élèvent à 70 $ par mois. Il nous reste donc 2 550 $.

– Et votre hypothèque ?

– Nous avons choisi un terme de cinq ans et une période d'amortissement de quinze ans. Notre versement mensuel est de 827 $. Au cas où tu te le demanderais, nous avons une hypothèque d'environ 70 000 $.

– Mais pourquoi n'avoir pas choisi des paiements hebdomadaires, comme Armand l'avait suggéré ? demanda Mathieu.

– L'institution financière qui nous a consenti le prêt n'offrait pas les versements hebdomadaires. Par contre, elle offrait le plus bas taux d'intérêt pour une hypothèque de cinq ans et les privilèges les plus souples pour les remboursements anticipés.

Enfin je venais de leur prouver que je pouvais répondre à des questions financières de façon intelligente.

– Très bien, Éric. Il te reste donc 1 723 $ par mois. Quelles sont tes autres dépenses ? poursuivit Armand.

– Les taxes foncières sont de 100 $ par mois et l'assurance-automobile de 100 $ par mois aussi. Les frais afférents: l'assurance-incendie et vol, le chauffage, l'électricité, l'eau, le câble, le téléphone, etc..., environ 300 $ par mois. Ce qui totalise un autre 500 $. Il nous reste donc un petit surplus d'à peine 1 200 $ par mois!

– Où est le problème? demanda Jacques.

– C'est que 1 200 $ par mois, ce n'est pas beaucoup. Il faut aussi payer l'épicerie et les sorties. Et puis, il faut épargner pour acheter une nouvelle voiture, des vêtements, les vacances, répondis-je déconcerté.

– Écoute, dit Jean Louis, je ne veux pas voler la vedette à Armand en faisant à l'avance le discours de clôture qu'il vous donnera dans deux mois, mais il y a quelques points à souligner ici.

Premièrement, 1 200 $ par mois pour l'épicerie, les sorties, la voiture, c'est amplement suffisant. Deuxièmement, pensez à ce que vous êtes en train de réaliser. Vous épargnez 10 % et vous l'investissez dans un outil de croissance très bien choisi afin qu'un jour vous puissiez vous offrir les choses dont vous rêvez. Vous vous préparez une retraite heureuse. En plus, vous vous libérerez plus vite que la plupart des gens de votre plus grosse dette, de votre plus grosse mensualité : votre hypothèque. Votre planification successorale est bien établie : si toi ou Nadia décédait, l'autre n'aurait pas à en souffrir financièrement. Troisièmement, j'aimerais revenir sur un point qui me semble important. Dans la plupart des cas, les sacrifices mensuels consentis pour mettre en place votre planification financière resteront au même niveau ou décroîtreront, tandis que vos revenus continueront d'augmenter. Parce que votre patrimoine continue d'augmenter, vos besoins en assurances continueront de baisser. Les coûts de l'hypothèque sont fixes pour cinq ans et elle sera remboursée totalement en quinze ans, ou même avant si vous suivez les conseils qu'Armand vous donnera le mois prochain. Quatrièmement... Oh ! je l'ai oublié... Mais je suis sûr qu'il y a un quatrièmement ...

– Quatrièmement, reprit Armand, les cotisations au REÉR sont en franchise d'impôt. Tes cotisations mensuelles de 350 $ devraient te donner droit à une économie fiscale d'environ 1 500 $ par année.

– 1 500 $, Éric, c'est assez pour tes vacances, non ? marmonna Hugo en avalant son sixième ou septième beigne.

– Penses-y, Éric, dit Jean Louis en bondissant sur ses pieds. Sans faire d'extravagances, sans prendre de risques inutiles et sans diminuer de beaucoup ton niveau de vie, toi et Nadia êtes en train d'atteindre vos buts. Avec 1 200 $ par mois après avoir tout payé, hypothèque, assurances, dépenses, etc., ne me dis pas que vous aurez à vous serrer la ceinture ! Mais même si c'était le cas, rappelle-toi que chaque année ton revenu discrétionnaire va augmenter peu à peu. Et pendant ce temps-là, tu vas dormir sur tes deux oreilles pendant que tes amis vont faire des cauchemars financiers.

– Maintenant, reprit Armand, vous comprenez pourquoi je ne crois plus que la façon dont les gens gèrent leurs finances quotidiennes puisse les couler ou les sauver financièrement. La planification financière d'Éric et de Nadia est prioritaire, elle est payée directement à partir de leur compte de banque. Alors même s'ils gèrent mal leur revenu discrétionnaire, leur situation financière ne devrait pas en souffrir.

– Et si Éric allait s'acheter un téléviseur grand écran avec stéréo intégré ? Ou si Nadia était frappée de « cartomanite » aiguë et dépensait des milliers de dollars avec sa carte de crédit ? demanda Jacinthe. Je sais bien que leur planification financière est assurée grâce à l'épargne forcée, mais ils ne peuvent pas faire ou acheter tout ce qu'ils veulent, quand ils le veulent.

– Bien sûr que non, Jacinthe, répondit Armand. Ce serait une très mauvaise façon de dépenser un revenu discrétionnaire. Imaginez un couple qui gagne 40 000 $ par année et qui achète une voiture neuve de 15 000 $ sans fournir de paiement initial. Tout ce qu'ils réussissent à faire, c'est d'épuiser leur encaisse mensuelle, d'affecter l'argent emprunté à l'achat de biens non durables et de perdre des milliers de dollars dès que leur investissement sort de chez le concessionnaire. Du simple point de vue de la planification financière, ce n'est pas très intelligent. Mais ce n'est pas dramatique non plus. La plupart des gens, même de mes élèves, achètent des voitures avec de l'argent emprunté. Ce n'est peut-être pas la meilleure chose à faire, mais je suppose que c'est agréable de se gâter un peu et quand on en a les moyens.

Maintenant, prenons le couple qui a revenu annuel de 40 000 $ et qui s'achète une voiture neuve de 30 000 $ sans faire aucun paiement initial. Ça, par contre, c'est de la folie pure. Il y a plusieurs jeunes dans la vingtaine et la trentaine qui viennent me voir pour avoir des conseils de planification financière et je suis toujours étonné par le nombre de ceux qui veulent atteindre les buts dont nous avons parlé, la belle maison, la voiture de luxe, le chalet, *et qui veulent les avoir immédiatement*! Ce n'est pas d'un planificateur financier dont ils ont besoin, c'est d'un magicien! Il faut vivre selon ses moyens. Ça ne veut pas dire gratter et économiser chaque jour de sa vie, mais on ne peut pas dépenser impunément.

Un personnage de Charles Dickens disait: «Un revenu annuel de 20 £ et des dépenses annuelles de 19,96 £, c'est le bonheur. Un revenu annuel de 20 £ et des dépenses annuelles de 20,06 £, c'est la misère.» Personne n'a jamais dit si vrai.

– Armand, j'ai encore deux autres questions, dis-je. Il y a un sujet que tu n'as pas encore abordé et c'est le financement des études postsecondaires des enfants.

– Nous en parlerons en novembre, à la dernière leçon, promit Armand. Tu sais... En novembre... quand vous allez m'offrir un modeste gage de votre appréciation pour ce que j'ai fait pour vous...

– Mais quoi offrir à un homme qui a déjà tout, demanda Mathieu mi-figue, mi-raisin.

– Eh bien, Mathieu, je n'ai jamais reçu de pourboire...

– Sérieusement, Armand, tu dis que tu avais l'habitude de donner des conseils sur la gestion des finances quotidiennes et sur l'économie. Voudrais-tu nous donner quelques conseils dans ce sens. Tu sais, être économe, c'est un préalable pour les enseignants...»

– Être avare, corrigea Mathieu.

– Je pensais aussi qu'il était obligatoire pour un enseignant de marier une autre enseignante. Pas vrai? demanda Jacques.

– Je serais heureux de te donner quelques conseils.

L'empressement d'Armand me surprit, surtout que son temps était compté ce jour-là. Et puis, il avait dit qu'à l'avenir, il ne s'immiscerait plus dans les affaires quotidiennes de ses élèves.

– C'est agréable de voir quelqu'un enfin qui connaît la valeur de l'argent, commença Armand en regardant d'abord Jean Louis et puis moi. Je ne ferai pas de budget pour toi et je ne t'enseignerai pas à marchander, une de mes spécialités, mais je vais te donner quelques conseils de base. D'abord : un dollar économisé vaut deux dollars gagnés...

Armand venait de faire une déclaration solennelle. Le silence se fit.

– Pensez au sens de ces mots, continua-t-il en fin, rompant l'enchantement.

– Je ne comprends pas ce que tu veux dire, fit Jacinthe. Un dollar économisé vaut deux dollars gagnés ?

– Éric, si tu avais un boni de deux dollars au travail, combien en rapporterais-tu à la maison ?

– C'est Jacinthe qui ne comprend pas, Armand, pas moi, dis-je. Il me resterait un peu plus d'un dollar. Après toutes les retenues à la source, la moitié de l'argent se serait envolée. L'impôt, les cotisations au régime de retraite, l'assurance-chômage, la Régie des rentes du Québec, les cotisations syndicales... Tout ça s'additionne.

– En effet, acquiesça Armand. Une augmentation de deux dollars se traduit souvent par seulement un dollar supplémentaire de revenu... La même augmentation peut provenir de l'économie supplémentaire d'un seul dollar.

Que Mathieu économise 200 $ en achetant un magnétoscope dans une vente d'écoulement ou qu'il reçoive une gratification de 400 $ au travail, c'est à peu près la même chose. Plusieurs personnes seraient prêtes à travailler des journées entières pour gagner une gratification de 400 $, mais ces mêmes personnes ne voudraient pas magasiner les prix pendant trois heures. Ça n'a aucun sens ! Être avare, c'est une insulte, c'est être radin, près de ses sous. Mais être économe, c'est un compliment, c'est avoir une approche sensée de l'économie et de l'argent. C'était certainement une vertu durant la Crise quand j'étais jeune. Il y a là de quoi faire réfléchir, n'est-ce pas ?

Même Jean Louis, Jacques et Hugo qui dépensent constamment sans compter avaient semblé apprécier le speech d'Armand.

– Les cartes de crédit sont la bête noire des finances personnelles, continua Armand. Vous savez tous que si vous ne payez pas vos dettes le même mois, vous devrez payer des taux d'intérêt exorbitants, des taux souvent cinq à six points plus élevés que les taux des prêts à la consommation. Donc, payez à tous les mois ! Si vous ne pouvez pas rembourser le solde de votre carte, empruntez-le et soyez débiteurs à la banque. Son taux d'intérêt est beaucoup moins élevé.

– Mais aussi longtemps qu'on peut payer le solde des cartes à chaque mois, ça reste une bonne affaire, non ? Un mois sans intérêt ? plus les avantages ?

Jacinthe cherchait désespérément l'approbation d'Armand. Mais elle en serait quitte pour une désillusion.

– En fait, non. Pour la majorité de gens, ce n'est pas une si bonne affaire. L'attrait que tu y trouves pourrait jouer contre toi, particulièrement si tu es quelqu'un qui aime magasiner. Combien de fois as-tu acheté des choses que tu n'aurais pas achetées si tu avais eu à les payer comptant ? Et le plus souvent, ce sont des choses dont tu pourrais facilement te passer ? Combien de fois as-tu regardé ton relevé de compte, la gorge serrée, en disant : « 500 $! Mais qu'ai-je donc acheté ? » La morale ? C'est que même si les gens paient leur solde chaque mois, ils sont encore surpris par les dépenses qu'ils ont faites.

– C'est bien moi, dit Mathieu d'un air piteux. Je n'ai jamais payé un sou d'intérêt à une compagnie de crédit, mais j'ai quand même coupé mes cartes l'année passée. C'est simple : j'abusais de mon privilège.

– Je dois te féliciter, Mathieu, soupira Jacinthe. Je devrais faire la même chose... Mais comme je ne veux pas nuire à l'économie canadienne...

Connaissant ma sœur, ce n'était peut-être pas une blague...

– En effet, plusieurs personnes abusent des cartes de crédit, reprit Armand. Au moins, Mathieu, tu te connais assez pour l'admettre. Les cartes de crédit sont alléchantes, elles sont pratiques et elles offrent un crédit à court terme sans intérêt. Mais elles ne sont pas faites pour les indisciplinés.

– Faut-il éviter aussi le crédit à la consommation ?

– En théorie, oui. Je dis bien « en théorie », parce que, dans certains cas, le crédit à la consommation peut avantager l'emprunteur. Mais j'y reviendrai dans un instant.

Si vous désirez absolument vous procurer un lecteur de disques numériques, quelle est la meilleure façon de l'obtenir ?

– En se payant en premier ? risqua Jacinthe.

– Ouais, en utilisant l'épargne forcée, reprit Mathieu. Ça n'a pas vraiment d'importance, épargner pour ta retraite ou pour acheter un lecteur de disques numériques. La façon la plus efficace de l'obtenir, c'est de se payer en premier.

– Parfaitement ! Alors si Éric, par exemple, désirait ce lecteur il devrait, à chaque mois, faire déposer dans un compte un certain montant à partir de son chèque de paye. Et quand il aurait accumulé assez d'argent, il retirerait le montant nécessaire à l'achat du lecteur. Mathieu a raison : peu importe d'épargner pour sa retraite ou pour un objet de luxe, l'essentiel c'est de se payer en premier ! La seule différence, c'est la façon d'investir l'épargne. Ça ne prend pas beaucoup de temps d'épargner pour un bien de consommation ou pour un voyage, alors il faut être conservateur en investissant vos épargnes. Les fonds communs, l'immobilier et les actions ne sont donc pas les bons outils dans ces cas-là. Leur taux de rendement à court terme est trop incertain. L'argent doit être placé dans un placement garanti à un taux concurrentiel.

Voici un exemple d'un taux « concurrentiel ». Supposons que Jacinthe économise pour acheter une voiture de 23 000 $. Après un an, elle a épargné 10 000 $, ce qui n'est pas impossible pour elle. Elle pense être capable d'économiser 1 000 $ par mois durant la deuxième année. Alors, comment devrait-elle investir le 10 000 $ qu'elle a économisé ? Eh bien, puisqu'elle n'aura pas besoin de cet argent avant un an, elle devrait acheter un certificat de placement garanti pour un an, au lieu de laisser son argent à la banque à un faible taux d'intérêt. Elle devrait acheter ce CPG d'une société de fiducie ou d'une banque protégée par le SADC et qui offre un bon taux d'intérêt. Elle ne devrait pas se fier au taux que sa banque offre. Il faudrait magasiner. En fait, j'essaie seulement de vous dire d'utiliser votre bon sens.

– Tantôt, tu as dit qu'il pouvait être avantageux de se servir du crédit à la consommation. En quelle occasion ? demanda Mathieu.

– Quelqu'un peut répondre à cette question ? demanda Armand pour nous mettre à l'épreuve.

– Moi, je peux ! cria Jacinthe qui avait attendu longtemps l'occasion de vanter les cartes de crédit. L'endettement est le comble de l'épargne forcée. Tu dois faire tes paiments ou...

– Ou tu vas avoir de sérieux ennuis, compléta Mathieu.

– C'est ça, dit Armand en souriant. « Le comble de l'épargne forcée » est une belle expression. Un dépensier comme Jean n'aurait jamais pu économiser assez d'argent pour acheter son beau bateau. Il n'a tout simplement pas assez de discipline. En empruntant, il s'est forcé à économiser... Et entre temps il pouvait jouir de son achat.

Pour une fois, Jean Louis était d'accord et il n'a pas élaboré.

– Jacinthe, je ne te dis pas qu'à chaque fois que tu désires quelque chose, tu dois emprunter de l'argent pour l'acheter. Non ! À ce rythme-là, tu finirais devant un tribunal de la faillite à coup sûr. Non seulement les emprunts excessifs peuvent saper ton encaisse, mais ils peuvent aussi t'apporter beaucoup de stress. Tu vas dormir beaucoup plus facilement quand tu recevras de l'intérêt au lieu d'en payer.

Une autre chose, c'est la satisfaction que tu ressens quand tu épargnes pour acheter quelque chose que tu veux vraiment. Les jeunes d'aujourd'hui n'ont *jamais* connu ce plaisir, cette satisfaction anticipée. Ils ont emprunté pour tout, du téléviseur à la voiture en passant par la maison.

– Armand, il y a beaucoup de vrai là-dedans, dis-je. Nadia et moi avons épargné durant trois ans pour acheter notre voiture comptant et ça nous a procuré une énorme satisfaction. Parce que nous l'avons payée en entier, je suis convaincu que nous l'apprécions beaucoup plus.

– C'est certain. Même si emprunter force à économiser, ça comporte aussi tous les désavantages dont nous avons parlé. Vivez selon vos moyens ! conclut Armand en terminant la coupe de Mathieu.

– Armand, j'ai une question et quand tu y auras répondu, je te promets de te débarasser de ces deux-là.

– Marché conclu, Jacinthe.

– Pourquoi recommandais-tu aux gens d'écrire comment ils dépensaient chaque sou ? C'est beaucoup

171

de travail. Est-ce que ça en vaut le coup ? Après tout, cet argent est déjà dépensé...

– Un relevé détaillé des finances domestiques peut être très révélateur. Si tu ne me crois pas, fais-le, garde un relevé détaillé de toutes tes dépenses de ce mois-ci. Deux ans après avoir repris le salon, j'ai emprunté pour acheter une nouvelle voiture. À la fin de l'année, quand j'ai fait le compte de mes dépenses, j'ai eu peine à croire à tout l'argent que j'avais consacré à ma voiture : les coûts de financement, l'essence, les assurances, l'entretien... En fait, le tiers de mon revenu après impôt y était passé. Même si je pouvais payer toutes mes dépenses de voiture, il était bien évident que je ne pouvais pas m'offrir l'auto que je conduisais. J'aurais dû sacrifier trop de choses. J'ai donc vendu l'auto et je me suis acheté une voiture d'occasion.

– Je n'ai jamais fait de relevé financier domestique et je n'en ferai jamais, affirma Jean Louis. Par contre, un de mes amis l'a fait. Et je dois admettre que ça l'a beaucoup aidé. Il a vraiment été surpris quand il a découvert qu'en 22 jours il avait dépensé 250 $ pour ses dîners... Ç'aurait pu finir par lui coûter 3 000 $ par année ! Pas besoin de vous dire que maintenant il apporte son lunch de temps à autre.

Fidèle à sa parole, Jacinthe nous accompagna vers la porte.

– Merci pour tout, Armand.

– J'ai fait un petit relevé financier personnel pendant que vous parliez, dit Mathieu avant de sortir. Savez-vous sur quoi je dépense le plus d'argent ? Sur les coupes de cheveux ! Je dépense beaucoup trop d'argent sur mes coupes de cheveux !

Armand répondit par un simple salut.

9
LES
INVESTISSEMENTS
ET L'IMPÔT

– Un café ? offrit Armand avec un large sourire.

– Brr ! Je ne bois pas de café, mais je vais en prendre un, répondit Mathieu en claquant des dents.

Jacinthe et moi avons fait oui de la tête, en grelotant et en sautillant sur place.

– Je ne me rappelle pas d'une journée aussi froide pour cette époque de l'année, dit Jean Louis. Le vent est glacial. On peut voir son haleine...

– Mais combien il fait ? demanda Jacinthe en grimaçant.

– Moins quelque chose, répondit Hugo.

– Hé ! Hugo, je ne savais pas que tu étais météorologue, blagua Mathieu.

– Je ne pourrais pas, répondit Hugo du tac au tac, je ne connais pas le système métrique !

– Armand, avant de commencer la leçon d'aujourd'hui, il y a quelque chose dont tu nous a parlé le mois dernier qui m'a profondément affectée, dit Jacinthe.

– Tu veux dire qu'il a fallu cinq mois pour que quelque chose de mon enseignement t'affecte profondément ? dit Armand en souriant. Il y a sûrement quelque chose que je fais mal...

– Ce n'est pas ce que je veux dire. Tu le sais...

– Laisse-moi deviner, interrompit Mathieu. « Un dollar économisé vaut deux dollars gagnés. »

– Tu dois être médium !

– Cette phrase m'a aussi beaucoup affecté, expliqua Mathieu. Je n'y avais jamais pensé avant, mais Armand a bien raison. On ferait n'importe quoi pour gagner quelques dollars de plus, mais on ne passerait pas deux heures à magasiner des bâtons de golf par exemple.

Je parle des bâtons de golf parce que la semaine dernière je suis sorti pour m'acheter des nouveaux fers. Je savais exactement la marque et le modèle que je voulais. Mais au lieu d'aller à la boutique du pro et de payer le prix demandé, j'ai décidé de magasiner. Eh bien, j'ai trouvé le même ensemble de bâtons à 180 $ de moins dans une autre boutique. En magasinant pendant seulement trois heures, j'ai réussi à économiser près de 200 $. Pas mal, non ?

– Économiser 180 $, c'est comme recevoir une gratification de 360 $, rappelai-je.

– Dans mon cas, pas tout à fait, corrigea Mathieu. 180 $ représente pour moi une gratification de 300 $. Mon magasinage de trois heures m'a tout de même rapporté 100 $ de l'heure ! Ça m'a pris vingt-neuf ans, mais j'ai enfin appris à être économe.

– L'économie est une vertu, ajouta Armand.

– Armand, quel est le sujet d'aujourd'hui ? demanda Jacinthe. Il me semble que la leçon devait porter sur l'investissement ?

– Aujourd'hui, deux sujets : d'abord l'investissement, puis votre sujet favori : l'impôt.

Inutile de dire qu'il y eut un concert de huées.

– Voyons, les gars, ne huez pas ! En discutant de l'impôt, on discute aussi de comment réduire nos impôts.

Évidemment, cette remarque a calmé tout le monde.

– Pourquoi parler de l'investissement et de l'impôt la même journée ? demandai-je. Est-ce que ce sont deux sujets connexes du point de vue pédagogique ?

– La raison pour laquelle nous en parlons durant le même cours est assez complexe. Voici... Les deux sujets prennent environ le même temps, soit le temps d'une coupe de cheveux...

– En effet, dit Mathieu, c'est complexe comme raison !

– Armand, je ne m'y connais pas beaucoup en investissements, mais il me semble que même un professeur de ta trempe ne peut pas couvrir ce sujet de long en large le temps d'une coupe de cheveux... Même si c'étaient les cheveux du gros Antonio !

– Tu as raison, Jacinthe, concéda Armand. Il serait en effet impossible de couvrir en profondeur tous les investissements en si peu de temps. Mais c'est très bien parce que, de toute façon, le succès de votre planification financière ne doit pas dépendre d'une gestion experte de votre part. Pourquoi ? Parce que la plupart des gens sont incapables de faire une analyse exhaustive des investissements. Et la plupart n'en ont pas envie non plus !

– Amen !

– Les investissements réussis ne sont pas si faciles. Sinon, tout le monde magasinerait au Westmount Square. Très peu de gens ont le temps de faire une analyse adéquate des différentes formes d'investissements. Et ceux qui ont le temps de peser le pour et le contre d'un investissement doivent en plus être de fins théoriciens et d'habiles praticiens. Ça peut vouloir dire avoir des connaissances comptables pour étudier les actions ou bien connaître l'économie régionale pour acheter un immeuble commercial à tel ou tel endroit.

– Excuse-moi, Armand, fit Jean Louis, mais je dois répéter quelque chose que j'ai dit en mai : réussir dans l'investissement demande non seulement beaucoup de temps et de connaissances mais exige aussi une discipline extraordinaire et une sorte de sixième sens.

– Je vais encore plus loin, Jean. Je dis que sans cette discipline et ce sixième sens, un investisseur est voué à un échec lamentable. Je connais beaucoup d'investisseurs bien informés qui perdent constamment de l'argent. De deux choses l'une, ou bien ils manquent de discipline ou bien ils n'ont pas ce sixième sens. Par contre, je connais plein de gens qui n'ont pas de grandes connaissances dans le domaine et qui réussissent très bien à cause de leur discipline et de leur sixième sens.

Vous rappelez-vous quand Jean a dit que pour faire de l'argent à la Bourse, il fallait acheter quand les prix sont bas et vendre quand ils sont élevés ?

– Ça ne prend pas la tête à Papineau pour comprendre ça, répliquai-je.

– Non ? Alors comment expliquer que la plupart des investisseurs fassent exactement le contraire ? Incroyable, non ?

– Ils manquent de discipline, dit Mathieu en haussant les épaules. Le prix des actions est bas quand presque personne n'en veut. Alors, pour acheter quand les prix sont bas, il faut acheter même si tout le monde vous le déconseille.

– Exactement, confirma Armand. C'est probablement la seule loi qui n'a jamais été brisée : celle de l'offre et de la demande. Quand le prix d'une action est bas, c'est pour une des deux raisons suivantes : il n'y a pas assez d'acheteurs ou il y a trop de vendeurs. En d'autre mots, l'action n'est pas en demande. Acheter dans ces circonstances demande donc un courage peu commun.

– Le contraire est aussi vrai, dis-je. Quand il y a trop d'acheteurs et pas assez de vendeurs. Il faut vendre quand les prix sont élevés. Et quand le prix d'une action est-il élevé ? Quand tout le monde en veut. C'est-à-dire quand la demande est forte et l'offre est faible. Ce n'est pas facile de vendre une action quand tout le monde dit qu'il faut au contraire en acheter.

– Comprenez-vous maintenant pourquoi la discipline – le courage d'acheter quand les autres vendent et de vendre quand les autres achètent – est si importante ? Sans ce courage, vous êtes un mouton qu'on va tondre.

– En résumé, dit Jean Louis, acheter quand les prix sont bas et vendre quand ils sont élevés demande discipline et courage.

– Et pourquoi pas acheter quand les prix sont élevés et vendre quand ils le sont encore plus ? suggéra Mathieu.

– C'est certainement possible, répondit Armand, mais pour des raisons évidentes c'est aussi très risqué. Beaucoup de gens ont englouti des petites fortunes en achetant à la fin de la reprise du marché, c'est-à-dire quand les prix étaient élevés. Et tout ça, parce qu'ils pensaient que « cette fois, ce serait différent ». Ça peut coûter très cher. En fait, c'est un marché de dupe.

– J'aurais plus peur d'acheter quand les prix sont bas et d'être obligé de vendre quand ils sont encore plus bas, avouai-je. Après tout, le prix des actions est très bas juste avant qu'elles ne soient plus cotées en Bourse...

– C'est vrai, Éric, approuva Armand. Avant que l'aiguille de la jauge de ton réservoir d'essence n'indique « vide », elle a passé par « bas ». C'est pourquoi, pour être un investisseur prospère, il faut avoir ce fameux sixième sens. Il faut savoir faire la différence entre une action ordinaire sous-évaluée et une action risquée. Et puis, il y a beaucoup d'investissements qui ne peuvent pas trouver preneur même si les prix sont bas et pour de bonnes raisons. Par exemple, vous pourriez acheter une maison à Tchernobyl, mais ça ne serait pas très intelligent.

– En parlant d'immmobilier, il me semble que ta règle ne s'applique pas. En fait, la règle serait plutôt « acheter à n'importe quel prix et revendre plus cher ».

– Honnêtement, Mathieu, je ne peux pas m'obstiner. À l'exception de quelques villes axées sur une seule industrie, les prix de l'immobilier ont connu une croissance constante depuis cinquante ans. Bien sûr, durant les périodes économiques difficiles, les prix ont souffert, mais très peu. Souvent une mauvaise année est simplement une période durant laquelle la valeur des maisons n'augmente que très légèrement. Ceci dit, bien que la plupart des investisseurs immobiliers aient fait beaucoup de profits durant les cinquante dernières années, les investisseurs disciplinés qui ont acheté des valeurs sûres ont encore mieux réussi. Oui, même ceux qui ont acheté un duplex surévalué vers la fin de la période d'expansion économique l'ont probablement revendu avec un bon profit plusieurs années plus tard. Mais les petits malins qui ont acheté une bonne affaire durant la récession auront réalisé un profit encore plus gros.

Écoutez-moi bien : à mon humble avis, les belles années où il était facile de s'enrichir grâce à l'immobiler tirent à leur fin. Aucune tendance n'est permanente. Il n'y a rien qui vous assure que la valeur des biens immobiliers ne décroîtra pas. Je vous l'accorde, un bien immobilier bien choisi devrait toujours augmenter de valeur à long terme. Mais j'insiste sur le terme *bien choisi*. Si vous faites preuve de discipline et de bon sens et si vous achetez une valeur sûre, l'immobilier vous réussira. Mais acheter une propriété sans tenir compte de son emplacement, du moment opportun et de sa valeur n'est sûrement pas une bonne stratégie.

– Tu sais, Armand, je suis inquiet, dis-je. Je pense que je n'ai pas les qualités requises. Je n'ai sûrement pas les connaissances et rien ne me laisse croire que j'aie le courage ou le sixième sens dont tu parles... Particulièrement le sixième sens.

– Ne t'en fais pas, Éric, fit Armand pour me rassurer. Comme je disais tantôt, une des qualités essentielles de notre planification financière, c'est qu'elle n'exige aucune habileté exceptionnelle de la part du planificateur.

– Je me rappelle très bien quand tu as dit ça. Ça m'a beaucoup réconforté, dis-je avec un large sourire.

– Prends par exemple ta planification et celle de Jacinthe, continua Armand. Vous avez tout pour vous : une gestion professionnelle, l'épargne forcée, l'accumulation par achat périodique, des REÉR conservateurs, une période d'amortissement écourtée et des assurances adéquates... Qu'y a-t-il là-dedans qui entraîne des prises de décisions complexes en matière d'investissement ? Avant de répondre, rappelle-toi que l'épargne à court terme pour des choses comme les voitures et les voyages doit être investie dans des outils garantis.

– Je vois où tu veux en venir, Armand, mais si Nadia et moi voulions investir un gros montant comme un héritage ? Ou les droits d'auteur de Nadia si elle écrivait un guide touristique.

– Et moi ? demanda Mathieu. Parce que j'achète des maisons avec mon fonds de 10 %, je dois prendre des décisions d'investissements. Je n'ai pas la sécurité de l'accumulation par achat périodique.

– Tu as raison, Mathieu, répondit Armand qui semblait ignorer que j'avais posé la mienne avant. J'ai dit en mai dernier que si tu achètes des biens immobiliers avec ton fonds de 10 %, le moment opportun devient un élément crucial. Pour les raisons que je viens d'énumérer, la discipline et le sixième sens sont aussi très importants. Ils le seront probablement encore plus dans les années à venir. Ça, c'étaient les mauvaises nouvelles. La bonne nouvelle, c'est que tu sembles vraiment avoir ces qualités. À preuve, tu as acheté une propriété dans une région qui n'a pas été touchée par la récente flambée des prix, et, encore mieux, tu as acheté une propriété que Jean décrit comme une des meilleures valeurs qu'il ait vues au cours de sa carrière.

– Vraiment, Armand, je suis flatté, mais malheureusement mon achat relève plus de la chance que de la sagesse. Je n'ai rien fait...

– Oui, tu as fait beaucoup, interrompit Armand. Tu as su reconnaître que cette propriété était une bonne valeur. Je me rappelle que tu as dit que la grandeur du terrain, la proximité de l'eau et la qualité du quartier en faisaient une propriété sous-évaluée. Non? Jean a justement fait remarquer aujourd'hui que le sixième sens était une qualité innée. Et c'est particulièrement vrai dans l'immobilier. Beaucoup de gens ont l'œil pour découvrir les bonnes affaires.

Une autre chose intelligente que tu as faite, Mathieu, c'est de demander l'opinion de Jean. Parce que tu savais que son succès dans le domaine témoignait de son habileté et qu'il pourrait t'aider.

– Et ma question là-dedans? dis-je. Je n'ai pas le sixième sens de Mathieu et même si je l'avais, je ne saurais pas quoi en faire. Je ne veux pas investir, je veux enseigner.

– Oui, même si notre planification est conçue pour diminuer, sinon éliminer, la nécessité de posséder des talents d'investisseurs, il pourrait y avoir des moments où vous aurez à prendre des décisions d'investissement. Éric, ton exemple d'héritage était très bon.

Armand s'arrêta de parler assez longtemps pour capter l'attention de Jacques qui était à moitié endormi.

– Jacques, si quelqu'un se retrouvait avec un surplus d'argent, un héritage ou même un surplus d'épargne, quel serait son meilleur investissement ?

– Payer ses prêts à la consommation, répondit Jacques sans hésiter.

– Tout à fait d'accord, appuya Jean Louis.

– Le meilleur investissement pour le Canadien moyen, c'est de payer ses prêts à la consommation... Dont son hypothèque. Les raisons sont très nombreuses. D'abord et avant tout, payer ses prêts à la consommation assure un bon rendement à son argent... Pas seulement bon, excellent ! C'est un concept très simple et très souvent mal compris. L'intérêt sur un prêt à la consommation, disons pour une voiture, ou une hypothèque sur une propriété sans revenus, n'est pas déductible pour fins d'impôt. Ça signifie que le 12 % d'intérêt de ta banque, tu le payes avec de l'argent après impôt. Alors au lieu de rembourser ce prêt si tu décidais d'acheter un certificat de placement garanti, quel rendement minimum devrait-il rapporter pour justifier de ne pas rembourser le prêt ?

Nous n'avons pas répondu immédiatement.

– 20 %, dit enfin Jacinthe. Parce que je suis dans la tranche d'imposition de 40 %, un taux de 20 % me donnerait 12 % après impôt. Le même taux de rendement que j'obtiendrais en remboursant mon prêt à la consommation.

– Bravo ! Est-ce que vous comprenez tous les deux ?

Mathieu et moi avons fait signe que oui.

– Je viens de penser à quelque chose, dit soudain Mathieu. Si payer un prêt à la consommation de 12 % équivaut à un rendement d'intérêt de 20 %, pense au rendement que tu devrais obtenir pour égaler le remboursement du solde d'une carte de crédit. Le taux d'intérêt atteint parfois 18 % sur les soldes impayés. Il faudrait obtenir un rendement de 30 % juste pour rentrer dans tes frais !

– Ce n'est pourtant pas sorcier, reprit Armand. Et pourtant, beaucoup de Canadiens qui ont des prêts à la consommation non payés possèdent aussi des obligations d'épargne du Canada et des certificats de placement garanti qui offrent des intérêts imposables. Souvent, ça n'a aucun sens. Monsieur X achète 10 000 $ d'OÉC qui offrent un rendement de 9,5 %. Après impôt, il est chanceux s'il lui reste 7 %. En même temps, il rembourse son prêt à 13 % d'intérêt avec des dollars après impôt... Soyons sérieux !

Les investisseurs bien informés s'accordent pour dire qu'un taux réel de rendement après impôt de 3 % est très bon. Au fait, que veut dire l'expression *taux réel de rendement après impôt ?*

– Le taux absolu d'intérêt moins l'impôt payé moins le taux d'inflation, expliqua Mathieu. En fait, c'est l'accroissement de ton pouvoir d'achat.

– Impressionnant ! En réduisant un prêt à la consommation à un taux de 12 %, ton rendement après impôt est de 12 %, parce qu'il s'agissait de l'intérêt payé avec des dollars après impôt. Supposons que l'inflation soit de 6 %, le taux réel de rendement après impôt serait alors de 6 %... Deux fois plus que le 3 % recherché.

– J'ai une question. Doit-on toujours payé en premier le prêt à la consommation dont le taux est le plus élevé ?

– Éric, le bon sens dit que si tu disposes d'une certaine somme pour réduire tes dettes, tu devrais toujours commencer par payer le prêt dont le taux est le plus élevé. Mais encore là, beaucoup de gens préfèrent payer 2 000 $ sur leur hypothèque à 11 % et laisser courir le solde de leurs cartes de crédit qui, lui, porte un taux de 18 %. Aïe ! Oui, paye toujours en premier le prêt dont le taux d'intérêt est le plus élevé.

– Il y a deux autres questions très importantes, intervint Jean Louis. Non seulement le fait de réduire un prêt à la consommation offre un excellent taux de rendement mais c'est un taux *garanti*, donc un parfait PSS. En diminuant tes dettes, tu diminues ton stress. Et quand cette dette est une hypothèque, en l'éliminant tu ressens en plus une grande fierté. C'est une grande satisfaction personnelle que d'avoir une maison payée. En fin de compte, pour la plupart des gens, payer son prêt à la consommation constitue le meilleur des investissements.

– J'en suis très heureux, dis-je. C'est le choix qui me va le mieux... C'est simple, sans souci, et un jour je serai libre d'acheter plus de choses.

– C'est ce que j'ai le plus apprécié, remarqua Jacques. Depuis que j'ai payé mon hypothèque, mon fonds de 10 % est passé à 15 % et il me reste encore beaucoup d'argent. À mon avis, c'est le plus grand avantage qu'on peut retirer en remboursant ses prêts à la consommation.

– Qu'arrive-t-il si quelqu'un a de l'argent à investir et qu'il n'a pas de prêt à rembourser ?

Le visage de Jacinthe trahissait son embarras : avec son revenu, cette hypothèse était très plausible.

– Jacques ? dit Armand en lui relançant la question.

– Il y a plusieurs années, je me suis retrouvé dans cette situation. J'avais économisé plusieurs milliers de dollars et je n'avais aucune dette, pas même une hypothèque. Je suis venu demander conseil à Armand. Vous ne croirez jamais ce qu'il m'a dit de faire : « Dépense ton argent. » Il m'a dit de le dépenser ! Ça c'est mon conseil préféré !

– Son fonds de 15 % et son REÉR croissaient bien, reprit Armand. Il n'avait pas de dette. Il n'avait pas non plus besoin d'assurance-vie. L'instruction de sa fille était assurée. Bref, il avait atteint tous ses objectifs financiers. Je lui ai suggéré de s'offrir ce dont il avait toujours eu besoin... Une greffe de cheveux...

Le conseil d'Armand ne m'a pas surpris du tout. En avril, il avait promis que sa planification financière devait nous permettre d'atteindre nos buts sans diminuer de façon draconienne notre niveau de vie. Dans cette perspective, la suggestion d'Armand était très sensée. Pourquoi les gens ne devraient-ils pas profiter de la vie au maximum quand leur avenir financier est bien assuré ?

– Si vous êtes dans la position enviable d'avoir plus d'argent que vous ne pouvez en dépenser, je vous recommande de ne pas tout l'investir immédiatement, ce qui exigerait que vous preniez une difficile décision de placement. Je vous conseille plutôt de répartir cet investissement dans votre fonds d'épargne de 10 % en accroissant mensuellement votre versement. Supposons que vous disposiez d'un surplus de 5 000 $. Placez 200 $ par mois dans votre programme de prélèvements automatiques. Ce 5 000 $ finira par s'épuiser et vous reviendrez ensuite à votre versement d'épargne normal. Entre temps, vous aurez sagement investi votre argent et vous n'aurez pas eu à vous préoccuper de choisir le temps idéal pour investir.

Je pouvais difficilement être emballé par ce dernier conseil. Bien que je pense être sur le chemin de la prospérité financière, je suis encore très loin du moment où j'aurai autant d'argent.

– On passe à l'impôt ? dis-je en descendant de la chaise, pendant qu'Armand me brossait le dos.

– Avant, j'aurais une question, dit Mathieu. Est-ce qu'on pourra acheter un jour des actions cotées en cents ou d'autres choses excitantes comme ça ?

– Mark Twain a dit qu'il y avait deux moments dans la vie d'un homme où il ne devrait pas spéculer :

quand il n'en a pas les moyens et quand il en a les moyens. Si tu veux jouer à la Bourse, acheter des matières premières ou acheter des options sur l'or, très bien, mais n'esssaie pas de me dire que c'est de la planification financière. Oui, ça peut être amusant. Oui, ça peut être excitant et oui, à l'occasion, ça peut rapporter gros. Mais on peut en dire autant d'un voyage à Las Vegas où, en plus, on sert des rafraîchissements gratis et où il y a plein de belles danseuses aux longues jambes... Va à Las Vegas.

Armand savait très bien nous amadouer.

– Avant de passer à l'impôt, je veux vous parler d'une idée que j'ai eue l'autre jour, une excellente idée, commença timidement Jean Louis en déposant le cahier immobilier du journal. Vous le savez tous, le seul conseil de planification d'Armand que je n'ai pas suivi, c'est celui de placer mes dollars REÉR dans des investissements de propriété. Du point de vue de la diversification, ça n'a pas de sens de mettre toutes ses épargnes à long terme dans le même panier. Mon fonds de 10 % comprend déjà des fonds communs en actions. Je possède plusieurs maisons et j'investis presque tous mes dollars REÉR dans des outils garantis. Avec mon REÉR, je suis d'abord un prêteur. Parce que les gains d'intérêt sont en franchise d'impôt jusqu'à leur retrait, la valeur de mon REÉR a augmenté sensiblement. Jacinthe, tu as dit que toi aussi tu avais choisi de garantir tes dollars REÉR. Et même si vous deux ne l'avez pas dit clairement, je sens que vous n'aimez pas trop l'idée d'avoir vos REÉR entièrement investis dans des placements en actions...

– Avec tout le respect que je te dois, Armand, je dois admettre que ces arguments sur la diversification et la franchise d'impôt m'ont convaincu.

J'étais d'accord avec Mathieu, et j'étais content qu'il en ait parlé.

– Je préfère encore la propriété, mais je répète que s'il y a un moyen par lequel un prêteur peut devenir riche, c'est bien les REÉR, admit Armand avec réserve. Quelle est ton idée, Jean ?

– D'abord, quand ton REÉR atteint une valeur de 10 000 $, tu le transfères dans un REÉR auto-géré. Ensuite, tu achètes avec ce montant un certificat de placement garanti. Pas un simple CPG, mais un CPG à intérêt mensuel. Ensuite tu ouvres un PPA avec un fonds commun bien choisi, pour le montant de l'intérêt perçu sur le CPG. Comme ça, au lieu que l'argent pour l'achat du fonds commun soit retiré de ton compte de banque chaque mois, il est retiré de ton REÉR auto-géré. Et chaque année, ta cotisation REÉR est encore investie dans un CPG et tu ajustes le montant de ton PPA en fonction du revenu d'intérêt ainsi généré. C'est merveilleux ! Tout ton capital est garanti, mais tu profites quand même des avantages de la propriété, de l'accumulation par achat périodique, d'une gestion d'argent professionnelle... de tout, quoi. C'est simple, il n'y a pas un sou qui ne rapporte pas. C'est facile. Ça demande vingt minutes de travail par année et aucune décision compliquée. En fait, ce que tu fais, c'est que tu transformes ton intérêt de CPG en propriété, c'est tout.

Tous les yeux se sont tournés vers Armand.

– Ouais... C'est une des meilleures idées pour investir son REÉR que j'aie jamais entendue.

Jean Louis arborait un large sourire.

– Tu as raison, Jean, c'est un excellent compromis pour ceux qui veulent être prêteurs dans leur REÉR.

Je venais de trouver ma stratégie pour investir mon REÉR.

– Donc les actions des fonds communs de placement s'accumulent chaque mois dans ton REÉR auto-géré ?

– C'est ça. Mais je ne suis pas sûr que l'idée va plaire à toutes les sociétés qui offrent des REÉR auto-gérés. Ça implique beaucoup de paperasserie. Mais je suis convaincu qu'il est possible de s'entendre. C'est intéressant, non ?

– En tout cas, ça vaut la peine d'y penser. Maintenant revenons à notre sujet favori : l'impôt.

Armand venait de nous ramener sur terre. Il répéta d'abord son refrain habituel : « Un dollar économisé vaut deux dollars gagnés. »

– Mais ça, c'était le mois dernier, Armand ! Aujourd'hui, on parle de l'impôt, tu te rappelles ? blagua Mathieu.

– « Un dollar économisé vaut deux dollars gagnés », répéta Jean Louis, que ce soit un coupon-rabais ou une réduction d'impôt. Et puis, un dollar d'impôt économisé, c'est un dollar de moins pour le gouvernement, pas un dollar de moins pour toi.

– Ce que Jean veut dire, reprit Armand, c'est que si d'habitude économiser un dollar demande des sacrifices, économiser un dollar d'impôt n'en exige aucun. Les économies d'impôt sont les meilleures économies. Pour cette raison, il faut que vous essayiez de diminuer vos impôts... De façon légale ! L'évasion fiscale est une façon illégale d'éviter l'impôt, ce n'est donc pas recommandé ! En fait, les évasions fiscales très répandues sous forme de la non-déclaration de revenus sont une des plus grandes plaies économiques de notre pays.

En revanche, l'évitement fiscal est une façon légale de ne pas payer l'impôt et c'est une partie importante de la planification financière.

– Je ne veux pas faire l'avocat du diable, dis-je, mais j'ai encore moins d'intérêt à devenir un expert fiscaliste que j'en avais à devenir un investisseur expert. Rien que le mot « comptabilité » me fait frémir.

– Encore une fois, tes craintes sont sans fondements, répondit Armand.

– Nous avons déjà dit qu'une des qualités de notre planification financière, dit Mathieu en imitant

Armand à la perfection, c'est que son succès ne dépendait pas d'une gestion financière experte de notre part. Il va de soi que nous n'avons pas non plus à devenir experts en fiscalité.

– Mathieu, tu dois avoir étudié avec un grand maître, dit Armand en feignant l'émerveillement. Ce que Mathieu vient de dire est très vrai. Une saine planification financière ne devrait pas dépendre de l'expertise fiscale du planificateur. Non seulement ce serait une tâche ardue, mais pour la plupart d'entre nous il y a très peu de petites *passes* qui en valent la peine. Peu importe notre expertise, il n'y a que très peu d'occasions de diminuer notre fardeau fiscal de façon légale.

Jean Louis fit remarquer que même les comptables agréés avaient un montant normal d'impôt sur le revenu à payer.

– Si vous ne possédez pas votre propre entreprise, je peux vous donner en quelques minutes toutes les informations nécessaires sur l'impôt.

– Moi, j'ai ma propre entreprise, et Nadia aussi, fit Jacinthe. Tu ne dis rien pour nous ?

– Les conseils que je vais donner à ces deux-là pourront aussi vous aider, mais il y en a un autre que vous devriez prendre très au sérieux, toi et Nadia : voyez un comptable !

– J'ai déjà un comptable, répondit Jacinthe, un excellent comptable... un très beau comptable. Il s'occupe de tous mes impôts, personnels et d'affaires. Il calcule combien je devrais retirer de mon entreprise chaque année, il dresse les bilans trimestriels et me tient au courant ! Et il est tellement beau !

– Un entrepreneur *doit* travailler en étroite collaboration avec un comptable qualifié. Un bon comptable vaut son pesant d'or et plus. Il n'y a pas de prix pour le professionnalisme et l'expertise. Les comptables ne vendent pas des produits, ils vendent leur expertise. Alors, leurs conseils sont habituellement objectifs. Si vous êtes entrepreneur ou si vos affaires sont très complexes du point de vue fiscal, de grâce, retenez les services d'un expert !

– Je pense que nous avons compris, dit Mathieu.

– Mathieu, tu serais beau avec une brosse, rétorqua Armand. Et vous deux, les gars, comment pensez-vous réduire vos impôts ?

– Par les cotisations aux REÉR, répondis-je. Une cotisation aux REÉR réduit ton revenu imposable et un REÉR de conjoint peut aussi s'avérer une bonne façon de réduire l'impôt.

– Très bien, Éric. Et toi, Mathieu ?

– Je profite de l'exemption de 100 000 $ sur les gains en capital en épargnant 10 % de tous mes revenus et en l'investissant dans les fonds communs en croissance.

– Excellent. D'autres idées ?

– Investir l'argent des allocations familiales...

– Le mois prochain, Éric, interrompit Armand. À part cotiser aux REÉR et tirer avantage de l'exemption d'impôt sur les 100 000 $ de gains en capital, il n'y a que deux autres façons efficaces et légales pour le Canadien moyen de diminuer son impôt.

– Que veux-tu dire par *efficaces* ?

– Il y a d'autres moyens, mais le jeu n'en vaut pas la chandelle. Par exemple, les experts recommandent de reporter le reçu d'un revenu à l'année suivante quand c'est possible. Le raisonnement est valable : en reportant la dette fiscale, tu gardes l'argent à ta disposition un an de plus. Si en décembre le frère de Mathieu gagnait 1 000 $ supplémentaire en faisant des réparations sur des maisons, il serait sage qu'il ne se fasse payer qu'en janvier. Benoît aurait douze mois pour utiliser les 400 $ qu'il aurait dû payer en impôt. Ces 400 $ pourraient rapporter 40 $ d'intérêt, moins 16 $ d'impôt. Il resterait 24 $. Et 24 $, c'est 24 $. Mais le citoyen moyen ne passera pas beaucoup de temps à planifier pour un si petit montant.

Je ne dirai certainement pas que c'est une perte de temps. Moi, je le fais. « Un dollar économisé vaut deux dollar gagnés. » Mais pour la majorité des gens, c'est peut être pousser la planification fiscale un peu loin.

– Je suis d'accord, Armand, mais si quelqu'un pouvait reporter un revenu de 10 000 $?

– Évidemment, c'est différent. Mais le Canadien moyen n'a pas cette chance.

Vrai. La plupart d'entre nous sommes très heureux d'encaisser notre chèque de paye lorsqu'il arrive.

– Alors, quelles sont les deux façons efficaces ? demanda Mathieu.

– La première : un bon fractionnement du revenu. Pas besoin d'être professeur de mathématiques pour comprendre que celui qui a gagné le moins doit déclarer le plus de revenus possible.

– Armand, tu ne me croiras pas, mais je m'y connais là-dedans.

– Tu as raison, Éric, je ne te crois pas.

– L'an dernier, un de mes amis m'a enseigné les règles de base du fractionnement du revenu. Parce que je gagne plus que Nadia, tous nos comptes d'épargne sont à son nom. De cette façon, le revenu imposable généré par ces comptes est au nom de Nadia. Et les allocations familiales...

– Le mois prochain, rappela Armand. Mais ton exemple est bien choisi. Au fil des ans, ce genre de planification peut faire épargner d'importantes sommes d'argent.

– Et Jacinthe et moi ? demanda Mathieu. Nous n'avons ni conjoint ni enfants avec qui partager nos revenus.

– Mariez-vous !

– Le marier pour réduire mes impôts ? répondit Jacinthe. C'est très romantique, Armand. Mais à bien y penser, je me demande si mon comptable serait intéressé...

– Si Mathieu et toi décidiez de vous marier, tu pourrais lui verser un petit salaire pour tenir les livres et tu réduirais ton revenu imposable.

– Oui, mais j'augmenterais d'autant le revenu imposable de Mathieu.

– C'est vrai, acquiesça Armand. C'est la même chose que pour le compte d'épargne d'Éric. Le revenu imposable de Mathieu augmenterait du montant dont le tien diminuerait, mais parce que ton palier fiscal est plus élevé que celui de Mathieu, vous feriez quand même d'importantes économies d'impôt.

Le fractionnement du revenu, c'est une question de bon sens. Si les revenus de Nadia sont moins élevés, il est évident que les comptes d'épargne devraient être en son nom.

– Je ne crois pas que mon père comprenne ce principe, interrompit Jacinthe. Toutes les épargnes de mes parents sont au nom de mon père, et son palier fiscal est beaucoup plus élevé que celui de maman. Je vais leur dire de changer ça tout de suite.

– Minute! dit Armand. C'est une perte de temps. C'est contre les règles d'attribution du revenu.

– *Les règles d'attribution du revenu?* Qu'est-ce que c'est?

– Si une propriété à revenu était transférée, par un prêt à faible taux d'intérêt ou donnée en cadeau, à un conjoint ou à une personne de moins de dix-huit ans, les revenus seraient imposés au donneur. De la même façon, si une propriété à revenu était transférée par un prêt à faible taux d'intérêt à un membre de la famille, et ce sans égard à l'âge, le revenu serait encore imposé au donneur. Les règles d'attribution du revenu s'appliquent également aux gains en capital dans un transfert de conjoint à conjoint.

– Ce n'est pas juste, protesta ma sœur.

– Pas vraiment, Jacinthe, répondit Armand. En fait, les règles sont très claires. Comme ce sont les revenus de ton père qui ont créé ces épargnes, elles devraient être imposées à son nom.

– Et pour Éric et Nadia ? continua Jacinthe. Tu as dit que c'était une bonne idée de garder leurs épargnes dans le compte de Nadia. Les règles ne s'appliquent pas ici aussi ? En fait, Éric a un revenu plus élevé que Nadia. Leurs épargnes, ou une grosse partie de leurs épargnes, devraient être à son nom.

– Merci, petite sœur. J'apprécie tout ce que tu fais pour moi...

– Il y a une certaine logique dans ce que tu dis, Jacinthe, mais non, les règles d'attribution ne s'appliquent pas dans le cas d'Éric. Tu vois, Éric pourrait facilement prétendre que l'argent dans le compte d'épargne est le fruit du revenu de Nadia et que son revenu à lui est utilisé pour payer les comptes. Dans le cas de tes parents, cet argument ne tiendrait pas parce que ta mère n'a jamais travaillé à l'extérieur.

– Et si monsieur Ostiguy mentait ? suggéra Mathieu.

Armand soupira.

– Comme je le disais tantôt, les règles d'attribution sont très équitables. Sans elles, le gouvernement ne pourrait lever que très peu d'impôt sur les investissements et les épargnes.

– Et après ? lança Mathieu.

– As-tu pensé aux malades, aux personnes dans le besoin, aux chômeurs, à tous ceux qui ont besoin de l'aide gouvernementale ? Et as-tu pensé aux générations à venir qui seront déjà étouffées par une énorme dette ?

– Tu crois vraiment que chacun doit payer sa juste part d'impôt, n'est-ce pas, Armand ?

– Certainement, Mathieu. *Sa juste part* d'impôt, c'est le mot clé. Je n'ai rien contre une sage planification qui permet de diminuer son impôt. Mais l'évasion fiscale, c'est une autre affaire. C'est illégal et irresponsable. Et puis, ce n'est pas nécessaire si tu gères bien tes affaires.

– Comme disait Armand, un bon fractionnement du revenu se résume à se servir de sa tête, reprit Jean Louis. Je paye un salaire à ma femme pour la tenue de livres et le travail de secrétariat qu'elle fait vraiment pour moi. C'est très légal et c'est une bonne façon de réduire l'impôt. De ma poche à la sienne, comme on dit.

Prenons un autre exemple : il y a plusieurs années, j'avais 10 000 $ qui dormaient dans mon compte d'épargne suite à la vente d'un immeuble commercial. À l'époque, ma fille avait quinze ans. Je lui ai remis l'argent pour qu'elle achète un certificat de placement garanti de trois ans à intérêt composé. Pourquoi ? Parce qu'au moment où le CPG viendrait à échéance, elle aurait dix-huit ans et les règles d'attribution ne seraient plus applicables. Les intérêts gagnés seraient imposables sur son revenu, pas sur le mien. Comme elle était encore étudiante à dix-huit ans, elle n'avait qu'un faible revenu imposable et elle n'a pas payé d'impôt sur le gain en intérêt. Moi, j'aurais payé un montant substantiel ! C'était logique.

– Mais ce ne serait plus faisable aujourd'hui, reprit Armand. Depuis 1990, les intérêts doivent être déclarés chaque année. En fait, le gouvernement était perdant avec ces règles, mais Jean aussi. S'il avait investi l'argent à son nom, son revenu aurait été imposé, oui, mais il aurait quand même réalisé un gain. En donnant cet argent à sa fille et en la laissant dépenser le revenu, il a évité de payer l'impôt, mais il s'est aussi privé d'un gain. C'est vrai, il a aidé sa fille et il a forcé le gouvernement à subventionner partiellement sa générosité. Par contre, s'il avait donné l'argent à sa fille et lui avait demandé de lui remettre la somme et le gain, il aurait contrevenu à la loi – Ç'aurait été un prêt à faible taux d'intérêt. Si vous élaborez une stratégie dans le seul but d'éviter de payer l'impôt, le gouvernement peut désapprouver votre geste, contrecarrer votre décision et vous faire payer l'impôt. Dans le cas de Jean, il a donné l'argent à Laurence, non seulement pour éviter d'avoir à payer l'impôt, mais aussi pour l'aider à payer ses études. Donc, tout est parfait. Enfin, si vous donnez de l'argent à quelqu'un, la Loi n'oblige pas cette personne à vous le rendre. N'oubliez jamais ça! Ces 10 000 $ appartiennent maintenant à Laurence.

La deuxième façon pour le Canadien moyen de diminuer son impôt à payer est de connaître les déductions et les crédits auxquels il a droit. Avant de me dire que vous ne voulez pas devenir comptables, laissez-moi ajouter qu'acquérir des connaissances sur ce sujet ne prend que quelques heures de lecture et non quelques années d'études. Lisez donc le guide d'impôt du gouvernement. Lisez un des nombreux guides pour diminuer l'impôt. Ces livres sont faciles à lire, ils énumèrent des dizaines, des centaines de déductions trop souvent oubliées. Jacques, par exemple, a réalisé qu'il pouvait réclamer des frais de scolarité pour ses cours par correspondance quand il a lu attentivement un de ces livres. Ses économies d'impôt se chiffraient à des centaines de dollars.

– Faire les lectures qu'Armand recommande peut prendre cinq heures, dit Jean Louis, mais je vous assure que vous découvrirez au moins une dépense déductible d'impôt à laquelle vous aviez droit et que vous n'avez pas réclamée. Ce seront des heures de lecture très payantes. Un dollar économisé...

– Un dernier mot au sujet de la planification fiscale..., commença Armand.

– Mais je pensais que la partie sur la planification fiscale serait aussi importante que celle sur l'investissement, dit Mathieu avec un sourire.

– C'est que vous ne m'avez pas posé de questions ennuyeuses pour une fois. Soit dit en passant, Mathieu, tu perds tes cheveux sur le dessus de la tête...

Maintenant, parlons brièvement des abris fiscaux. D'un point de vue technique, un abri fiscal est n'importe quel investissement qui permet à un investisseur de réclamer une déduction, une perte ou un crédit applicable à des revenus provenant d'autres sources. Les déductions d'impôt, les crédits ou les incitations ne couvriront habituellement pas tout le coût de l'investissement. Donc, si l'investissement est mauvais, il peut en résulter une perte économique.

– Armand, as-tu déjà pensé à écrire un livre? blagua Jacinthe.

– Je réalise que la définition était un peu technique, mais elle était très juste. Je vous ai donné cette définition pour que vous sachiez qu'un abri fiscal n'est rien d'autre qu'un placement. Oui, il y a des considérations fiscales, mais elles ne servent qu'à réduire le coût de votre investissement ou, si vous préférez, l'argent qui sort de votre poche. Si l'investissement offre un mauvais rendement, vous pouvez quand même être perdant en dépit de l'allégement fiscal. En somme, perdre un dollar pour économiser cinquante cents, ce n'est pas très intelligent.

Pourquoi les abris fiscaux offrent-ils des allégements fiscaux? Parce que sinon personne ne les achèterait. L'allégement fiscal sert d'incitation à l'achat, une incitation d'ailleurs nécessaire. C'est donc dire que les abris fiscaux sont des placements risqués. En plus d'être plus risqués que la plupart des autres investissements, les abris ficaux sont souvent très complexes. Non seulement il faut comprendre les implications fiscales, mais il faut que

195

l'investissement soit valable et que ce soit le moment d'acheter.

– Armand, es-tu en train de nous dire que nous ne devrions jamais acheter d'abri fiscal?

– Non, mais je dis ceci : avant d'acheter un abri fiscal, consultez un professionnel!

– Un expert en investissements ou un psychiatre? dis-je à la blague.

– Les deux, répondit Armand. Et pour l'amour du ciel, n'achetez jamais un abri fiscal si le reste de vos finances n'est pas en bon ordre... Plus d'hypothèque, un REÉR substantiel, un fonds de 10 % en croissance, etc. Je ne veux pas avoir l'air trop sévère, mais c'est difficile de ne pas l'être. Pour chaque histoire heureuse, il y a neuf histoires tristes. C'est très difficile de prévoir quels abris seront rentables! Les dépliants sur les abris fiscaux ont souvent l'air du manuel du propriétaire de la navette spatiale.

Cherchant visiblement un appui, Armand jeta un coup d'œil à Jean Louis.

– N'achetez pas d'abris fiscaux! affirma Jean Louis avec conviction. Je n'aime pas être aussi catégorique, mais dans ce cas je n'ai pas le choix. En suivant ce conseil, vous risquez à l'occasion de passer à côté de bons investissements, mais, croyez-moi, vous en éviterez aussi des douzaines de mauvais.

Pour moi, cet avis n'était pas nécessaire. Je n'ai pas, maintenant, et je n'avais pas, à l'époque, l'intention d'acheter d'abris fiscaux. Je m'achèterais plutôt un abri anti-bombe.

– Quel sujet, le mois prochain? demanda Jacinthe. Les allocations familiales et divers sujets?

– Oui, il reste encore trois ou quatre sujets sur lesquels vous aurez besoin d'informations. Puis, bien sûr, Hugo présentera à chacun une plaque en or solide gravée à la main attestant que vous êtes diplômés de l'Institut de planification financière Meilleur. Cette plaque se pose au mur ou sur la table.

– Les étudiants opportunistes la feront probablement fondre pour la vendre à la banque, lança
Mathieu.

– Peut-être ai-je trop parlé d'économie ? fit Armand
en secouant la tête.

10
LA REMISE
DES DIPLÔMES

– Oh ! tu n'aurais pas dû, protesta Hugo modestement. Je n'en méritais pas tant.

– Quelque chose me dit que ce magnifique paquet n'est pas pour toi, Hugo, dit Jean Louis. – C'est pour moi.

– Bien essayé, les gars, répondis-je. C'est pour Armand, pour le remercier de tout ce qu'il a fait pour nous. Je l'admets, vous deux et même Jacques, vous nous avez aussi beaucoup aidés. Et nous vous en remerçions sincèrement. Nous voulions vous acheter chacun un cadeau, mais comme on l'a répété si souvent durant le cours : un dollar économisé vaut deux dollars gagnés.

– Igor, nous avons créé un monstre ! fit Jean Louis.

– Mais vous n'aviez pas à m'acheter de cadeau, dit Armand en rougissant. Ma plus belle récompense, c'est de vous voir sur le chemin de la prospérité financière.

– C'est axactement ce que j'ai dit, Armand, mais Éric et Jacinthe n'ont rien voulu entendre, répondit Mathieu pince-sans-rire.

– Ouais, ouais... Éric, mon garçon, monte sur la chaise que je commence à te couper les cheuveux. Aujourd'hui, il y a quatre sujets à couvrir et ensuite, bien sûr, il y a mon fameux discours de fin d'études.

– Mais Jean nous a déjà rebattu les oreilles avec ça, Armand. Tu ne vas pas recommencer ? demanda Mathieu.

– Non ! répondit Armand. Dorénavant, l'ordre des sujets n'a plus d'importance.

– Quand tu as parlé d'assurance-vie, tu nous a dit que nous parlerions de l'assurance-invalidité à la dernière leçon, rappela poliment Jacinthe. Parlons-en d'abord, veux-tu, Armand ?

– Certainement, Jacinthe, acquiesça Armand. L'assurance-invalidité est l'assurance la moins populaire et pourtant, pour beaucoup de gens, ce serait de loin la plus importante. Quelle est la probabilité que tu sois invalide pendant un an, à un moment donné de ta vie ?

– Une chance sur vingt ? tenta Jacinthe.

– Je dirais une chance sur trente, reprit Mathieu.

– Une chance sur quatre, déclara Armand solennellement, nous laissant pantois pour quelques instants.

– C'est incroyable ! dit enfin Jacinthe.

– En effet, ajouta Armand. Une personne de trente ans a une chance sur quatre de devenir invalide pour un an ou plus à un moment donné de sa vie.

À votre âge, votre plus grand actif est votre capacité à gagner de l'argent. Vous devez protéger cette capacité. Dites-moi, si une machine dans votre sous-sol imprimait 40 000 billets de 1 $ par année, est-ce que vous l'assureriez contre les bris ? Sûr que vous l'assureriez. Surtout en sachant que les probabilités de bris sont de 25 %. Vous me suivez ?

Nous avons tous fait oui de la tête.

– Quand les gens meurent, ils cessent d'être un capital financier pour leur famille. C'est pourquoi les gens ont besoin d'assurance-vie : à cause du manque à gagner, pour remplacer cette productivité financière perdue. Quand les gens deviennent invalides, ils cessent aussi d'être un actif pour leur famille, mais le pire, c'est qu'ils deviennent un passif. Les morts, au moins, n'ont pas besoin d'être nourris, habillés ou logés. Ils ne requièrent pas de soins médicaux constants comme beaucoup de gens invalides. Alors, soyez sûrs d'avoir la bonne assurance-invalidité !

– J'ai une assurance au travail, dis-je, tu en as une toi aussi, Mathieu ?

– Fais attention, Éric, reprit Armand. Plusieurs de ces assurances de groupe n'offrent pas une protection suffisante et souvent elles ne sont pas convertibles. Si tu quittais ton travail pour devenir travailleur autonome ou pour aller chez un autre employeur qui n'offrirait pas une bonne protection invalidité, il faudrait que tu sois en assez bonne santé pour souscrire à une assurance-invalidité personnelle.

– Comment savoir si mon assurance de groupe est adéquate ?

– Ce n'est pas facile. Les polices d'assurance-invalidité sont complexes. Mais il y a quelques questions fondamentales à se poser. Si tu réponds oui à toutes ces questions, tu as une bonne assurance-invalidité. Par exemple, est-ce que la perte de l'ouïe, de la vue, de la parole ou de deux membres est considérée comme une incapacité totale par ton assurance de groupe ? Est-ce que le mot « incapacité » est défini dans son sens le plus large ? Est-ce que la compagnie peut annuler ton assurance ? Comporte-t-elle une clause d'abandon de prime ? Si oui, cette clause se prolonge-t-elle au-delà de la période de prestation ? Est-ce que les cas d'accidents de guerre constituent la seule clause d'exclusion ? Est-ce que la police paie des prestations pendant la période de réadaptation ? Ces prestations sont-elles indexées ?

– Une minute, Armand ! Où trouver tous ces renseignements ?

Mathieu m'enlevait les mots de la bouche.

– Consulte quelqu'un au service du personnel. Il devrait pouvoir répondre à toutes tes questions. Sinon, il te dira où trouver les réponses. De plus, montre la police à un agent d'assurances qui pourra la comparer avec une police individuelle.

– Qu'arrive-t-il si nos polices d'assurance de groupe sont inadéquates ? continua Mathieu.

– Si c'est le cas, Mathieu, ou si tu ne cotises pas à une police de groupe, il faut acheter une police individuelle. La plupart des agents d'assurances connaissent très bien l'assurance-invalidité. Même que certains agents s'y spécialisent. Ils devraient pouvoir te conseiller sur le programme et les clauses qui répondent à tes besoins.

– Quel couverture devons-nous choisir ?

– Parce que les prestations d'invalidité ne sont pas imposables et parce que les compagnies d'assurances aiment maintenir un écart – une incitation au travail, si tu préfères, – entre ce que tu gagnais avant d'être invalide et ce qu'elles devront te payer pendant ton invalidité, elles te limitent généralement à 60 % ou 70 % de ton revenu brut (moins les prestations que tu recevrais d'autres sources).

– Faites des phrases moins longues, s'il vous plaît, dis-je de mon plus beau ton professoral.

– Et les assurances automobile, incendie et biens personnels ? As-tu des conseils à nous donner ?

– Certainement, Jacinthe. Consulte ton courtier d'assurance générale, répondit Armand avec un clin d'œil.

Maintenant, passons à un autre sujet : comment épargner pour les études de vos enfants. C'est un processus relativement simple...

– Oui, c'est simple, interrompit Mathieu. Tu ne fais rien, tu les laisses payer leurs études.

– Sans cœur ! s'écria Jacinthe.

– Pas vraiment, dis-je à la défense de Mathieu. Il y a toutes sortes de gens. Malheureusement, papa et maman étaient de ceux qui croyaient que les enfants devaient payer leurs études postsecondaires. C'est ce j'ai fait. Et même si, à l'époque, je n'étais pas très content, je réalise à présent que ç'a été bon pour moi. J'ai appris la valeur du travail et de la discipline. Aujourd'hui, je suis fier de dire que j'ai payé moi-même mes études universitaires.

– Pauvre petit! échappa Jacinthe. La seule raison pourquoi papa et maman n'ont pas payé tes études, c'est qu'ils étaient sûrs que tu coulerais tes cours.

– Peu importe les motifs des parents, il y a beaucoup de gens qui pensent que les enfants doivent payer leurs études postsecondaires. En fait, je suis un de ceux-là. Mais j'admets que pour toutes sortes de raisons, ce n'est pas toujours possible pour l'étudiant de tout payer seul. Les études postsecondaires sont coûteuses. Et même l'étudiant qui travaille d'arrache-pied ne peut pas toujours amasser tous les fonds. Alors, je pense que les parents devraient être capables d'aider, si nécessaire. Heureusement, c'est facilement réalisable et peu coûteux grâce à la planification financière.

Éric, le mois dernier tu voulais absolument parler des allocations familiales. Vas-y.

– Les règles d'attribution ne s'appliquent pas aux gains en capital réalisés par un enfant, commençai-je. Donc, épargner les chèques d'allocations familiales au nom des enfants est non seulement une bonne façon de créer un fonds d'études, c'est aussi efficace du point de vue de l'impôt. Et parce que la plupart des enfants n'ont pas d'autre source de revenu, ils n'auront aucun impôt à payer sur le rendement de l'investissement.

– Dis donc, tu en as fait du chemin, mon gars, dit Armand. Pour l'instant, oublions les avantages fiscaux et concentrons-nous une minute sur deux autres questions. D'abord, est-ce que ces quelques dollars par mois te manqueront? Ensuite, est-ce qu'un petit investissement comme ça grossira vraiment beaucoup au fil des ans ?

– Non, l'argent ne me manquera pas... Et oui, une petite somme peut devenir extrêmement importante.

– Comment ?

– Par l'intérêt composé, voilà comment, répondit Mathieu. Les fonds vont croître assez bien, même si investis dans des outils garantis, parce qu'ils vont croître en franchise d'impôt.

– C'est ça ! C'est l'intérêt composé ! reprit Armand. Tu as raison de dire que même quand on l'investit en *prêteur*, l'argent de l'allocation familiale croît très bien. Mais je favorise toujours la propriété. En fait, c'est la situation idéale pour un PPA : l'épargne forcée, l'accumulation par achat périodique, un faible PSS... Tout est parfait. Et puis, c'est un placement à long terme... Disons quinze ans. Pourquoi est-ce que je dis quinze ans au lieu de dix-huit ?

– Je sais ! répondit Mathieu. Encore une fois à cause de la loi de Murphy. De la même façon que nous protégerons nos dollars REÉR quelques années avant la retraite, nous ne voulons pas que notre fonds d'études soit risqué dans des actions juste quand nos enfants sont sur le point d'entreprendre leurs études postsecondaires. Si le marché devait chuter, nous ne pourrions nous permettre d'attendre ; nous devrions encaisser au moment où le marché est bas. Il faut donc réclamer les fonds plusieurs années d'avance, à un moment où le marché est fort. Vous savez, vendre haut...

– Donc, quand les enfants ont quatorze ou quinze ans, il faut saisir le moment opportun pour encaisser et transférer les fonds dans un CPG, résumai-je.

– C'est exact. Et la chose intéressante, c'est que l'intérêt du CPG est imposable à l'enfant, parce que le capital a été créé avec les chèques d'allocation familiale.

Certains de mes étudiants sont allés encore plus loin. À chaque mois, ils ajoutent au chèque d'allocation familiale un montant équivalent de leur poche.

– Et les règles d'attribution?

– Ce n'est pas un gros problème. Les règles d'attribution ne s'appliquent pas aux gains en capital réalisés par un enfant. Il est certain que les fonds communs de placement versent un petit montant de dividendes et un revenu d'intérêt chaque année dont la moitié devrait être déclarée par le parent qui cotise l'autre partie. Mais ça représente une somme minime.

– Pourquoi la moitié?

– Parce que le premier montant du fonds commun de placement vient des allocations familiales de l'enfant. Donc, techniquement, c'est son argent.

– Oh! j'avais oublié, dis-je.

– Souvent les grands-parents veulent aider aux fonds d'études pour leurs petits-enfants, ajouta Jean Louis. C'est une excellente idée. Ils peuvent cotiser une somme égale à celle de l'allocation familiale.

– Que penses-tu d'un régime enregistré d'épargne-études, Armand? C'est valable?

De toute évidence, Jacinthe et Mathieu n'avaient jamais entendu parler des REÉÉ.

– Les REÉÉ, expliqua Armand, sont des régimes enregistrés auxquels vous cotisez avec des dollars après impôt. Vous ne recevez donc aucune déduction d'impôt au départ, mais comme pour les REÉR, le gouvernement permet au revenu de placement de croître en franchise d'impôt tant que le fonds n'est pas encaissé. Quand votre enfant est admis à une institution postsecondaire, le total des revenus accumulés dans le régime lui est remis en trois ou quatre versements, au début de chacune des trois ou quatre années qu'il y passera.. Le montant versé est imposé au nom de l'enfant.

– C'est formidable! dis-je. Une autre façon légale de fractionner le revenu.

– C'est vrai, dit Armand sans enthousiasme. Mais ce n'est pas toujours très sage. En utilisant les trois façons dont on a parlé : a) investir l'allocation familiale au nom de l'enfant; b) donner ou prêter de l'argent à ton enfant et l'investir à fort potentiel de croissance; c) cotiser une somme égale à celle de l'allocation, tu épargnes pour les études de l'enfant et tu économises de l'impôt. Et aucune de ces méthodes ne comporte les risques d'un REÉÉ.

– Quels risques ? Je pensais que les REÉÉ étaient investis de façon conservatrice ?

– Et si ton enfant ne poursuit pas ses études ? Alors, tu reçois tes cotisations du REÉÉ, mais tu ne reçois *pas* l'intérêt pour la période pendant laquelle ton argent était dans le régime. Cette forme de fractionnent du revenu où c'est ton revenu qui disparaît n'est pas recommandée. Mais plusieurs institutions financières offrent maintenant des REÉÉ très souples qui permettent de nommer plusieurs bénéficiaires et les bénéficiaires peuvent changer en tout temps. Souvent, ils offrent aussi une alternative de placement diversifié. Donc, les REÉÉ sont maintenant de bien meilleurs produits que par le passé, mais j'ai encore des doutes.

– Moi, je n'ai pas pris de REÉÉ pour ma fille, dit Jean Louis, parce qu'à l'époque je ne savais pas si elle irait au collège. J'ai étudié la situation et j'ai décidé que dans mon cas l'achat d'un REÉÉ comportait trop de risques. Je ne voulais pas perdre des revenus de placements potentiels.

Je voyais où Jean Louis voulait en venir. Mon père étant directeur d'une école secondaire, je sais bien que moins de 50 % de la population poursuit des études postsecondaires. Cependant, parce que les REÉÉ sont maintenant plus souples, je vais quand même les étudier.

– Très bien. Passons à un autre sujet : les fonds d'urgence.

– Je me demandais bien quand on y arriverait, dit Jacinthe. On dit que tout le monde devrait avoir un fonds d'urgence immédiatement disponible équivalant à trois ou quatre mois de revenu brut ?

– Ah ! encore le mystérieux « on dit », soupira Armand. Plusieurs planificateurs financiers recommandent de créer et de maintenir un fonds de cette valeur. Pourquoi ? Vraiment Jacinthe, je ne le sais pas. Selon moi, ça n'a aucun sens d'avoir en banque une somme d'environ 10 000 $ qui rapporte un faible taux d'intérêt entièrement imposable. Tu ferais bien mieux d'utiliser ces fonds pour rembourser un prêt à la consommation ou pour acheter un REÉR. Vraiment, à l'exception d'une perte d'emploi ou, pour le chef d'entreprise, à l'occasion d'une période de ralentissement prolongée, quelle urgence pourrait bien nécessiter 10 000 $?

– Et si le vent arrachait le toit de la maison une bonne nuit ?

– Tu as des assurances !

– Et si la voiture avait besoin de réparations ?

– Pour 10 000 $?

– Et si ma fournaise me lâchait durant la nuit la plus froide de l'année ?

– Fais-la réparer ! répondit simplement Armand. Ça ne te coûtera jamais 10 000 $. Comprends-moi bien. Je ne suis pas contre les fonds d'urgence, mais je suis persuadé que 2 000 $ ou 3 000 $ est un montant plus réaliste que 10 000 $. Et puis, si tu t'inquiètes tellement, demande à ta banque de t'établir une marge de crédit de 10 000 $. De cette façon, si un jour tu as vraiment besoin de cet argent, tu l'auras. Entre temps, tu peux investir ton argent de façon beaucoup plus rentable.

Ceci dit, il est quand même très important de garder quelques milliers de dollars à sa disposition. Des urgences mineures peuvent toujours survenir... en fait, il y en a toujours, surtout si tu es propriétaire.

Et puis, avec quelques milliers de dollars en banque, si tu vois un article en solde que tu désires vraiment, tu peux te l'acheter. Les gens qui ont de petits soldes en banque ratent souvent des aubaines. Finalement, avec cet argent, tu auras l'esprit en paix. Les gens dorment moins bien quand ils ont seulement 168 $ dans leur compte de banque.

– Qu'est-ce que tu veux dire par «seulement», dit Mathieu en riant.

– Armand, tu as dit qu'un entrepreneur devrait posséder un fonds d'urgence substantiel. Est-ce que ça vaut aussi pour moi? demanda Jacinthe.

– De toute évidence, un entrepreneur ou un vendeur à commission, dont le revenu n'est pas constant ou varie beaucoup, devrait épargner pour les années de vaches maigres. C'est surprenant de voir le nombre de courtiers qui durant les années de vaches grasses ont élevé leur niveau de vie sans mettre un sou de côté pour les aider à passer à travers les temps difficiles. Jacinthe, si ton entreprise est de nature cyclique ou pas, c'est toi qui le sais.

Les gens qui ont peu de sécurité d'emploi devraient aussi garder un fonds d'urgence substantiel. Encore une fois, c'est une décision personnelle.

– Une autre chose dont il faut se rappeler, Armand, reprit Jean Louis, c'est que nous sommes humains. Trop souvent, nous dévions de l'objectif du fonds d'urgence. La tentation de convertir ce fonds en argent pour un voyage ou un bateau est vraiment trop forte pour la plupart d'entre nous. Encore une fois, c'est le vieux conflit besoin-désir.

– Dernière recommandation, reprit Armand, continuez de vous informer. Oui, votre planification financière est très simple à créer et à suivre. Mais il est préférable de se tenir au fait des grands courants du monde de la finance. Certains événements peuvent affecter votre philosophie. Par exemple, le décès de votre gestionnaire de fonds peut vous amener à réévaluer votre choix.

Comme je le disais il y a plusieurs mois, il existe une riche littérature financière : le journal *Les Affaires*, le *Magazine Affaires Plus*, le cahier économique de *La Presse*... Vous verrez, le monde de la finance est dynamique, coloré et fascinant.

– Armand, tu ne pourrais pas faire la lecture pour nous et nous tenir informés ?

L'idée de Mathieu me semblait excellente, mais à en juger par sa grimace, Armand était loin de partager mon avis.

– Hugo ! Roulements de tambour, s'il te plaît. Après sept longs mois nous sommes enfin arrivés à la fin du cours de planification financière Meilleur. Et à ma plus grande joie, vous avez tous très bien réussi. Mais avant qu'Hugo ne vous présente votre diplôme, j'aimerais faire une dernière remarque... Peut-être même deux.

Armand fit une pause et vint se placer devant sa chaise de barbier.

– Durant sept mois, je vous ai enseigné les bases d'une saine planification financière. Les stratégies énoncées dans ce programme pourraient servir à n'importe quel Canadien âgé de 20 à 45 ans, peu importe son travail, son revenu, ses connaissances financières antérieures, ses talents de mathématicien, d'investisseur ou de comptable.

La force de ce programme complet repose sur sa simplicité. N'importe qui peut comprendre et appliquer les principes dont nous avons discuté. Et, à l'opposé de la plupart des autres programmes, le nôtre va au-delà du simple point de vue mathématique de l'épargne et de l'investissement, puisqu'il tient compte aussi de la nature humaine. Son succès ne repose pas sur des attentes irréalistes. Je sais que la plupart des gens n'aiment pas faire de budget et qu'ils n'aiment pas non plus superviser leurs placements. Je comprends que les gens aiment gaspiller de l'argent de temps en temps. Je comprends très bien que les gens subissent beaucoup de stress lorsqu'ils sont accablés de dettes.

La très grande simplicité de ce programme en gêne beaucoup. « Comment quelque chose d'aussi simple peut-il fonctionner ? » Ce programme fonctionne parce qu'il s'appuie sur le bon sens. Il nous permet d'atteindre nos buts en tirant avantage de concepts terre-à-terre éprouvés.

Éric, quand tu es venu me voir la première fois, tu m'as dit que tu voulais t'offrir une belle maison, une retraite prospère, des études pour tes enfants et les bonnes choses de la vie. Tu voulais t'offrir tout ça sans avoir à devenir un génie de la finance et sans avoir à réduire de façon importante ton niveau de vie. Penses-tu avoir appris comment y parvenir ?

– Mission accomplie, répondis-je avec gratitude.

– En résumé, conclut Armand, les beaux abris fiscaux, les stratégies complexes et les options sur l'or font de bons sujets de conversation pour les 5 à 7. Tandis que l'épargne forcée, l'accumulation par achat périodique et l'intérêt composé permettent de donner ces 5 à 7.

« Le résumé d'Armand », comme il l'appelait, a été accueilli avec une ovation debout.

– Encore ! Encore ! cria Mathieu. Donne-nous maintenant un cours sur la planification familiale !

– D'abord tu devrais te trouver une femme, Mathieu. Maintenant, asseyez-vous, ordonna Armand. Hugo, apporte les diplômes, s'il te plaît.

– Tu étais sérieux au sujet des diplômes ? demandai-je. C'est extraordinaire ! Eh ! Mathieu, c'est ton premier vrai diplôme !

– Ha, Ha !

Après tout ce temps passé au salon, les reparties de Mathieu n'étaient toujours pas plus tranchantes.

Hugo remit à chacun un «simili-diplôme», bien encadré, de l'Institut de planification financière Meilleur. Il nous serra la main en nous félicitant d'avoir obtenu les trois meilleures notes de la classe. En dépit de l'humour d'Hugo, nous étions tous les trois ravis.

– Comme tu l'as sans doute remarqué, Armand, nous avons aussi un petit quelque chose pour toi, annonçai-je.

Jacinthe lui présenta un joli paquet qui semblait contenir un cadre. Armand l'ouvrit en prenant bien soin de ne pas déchirer le papier d'emballage.

– Tu vas sans doute le réutiliser à Noël ? lança Jean Louis à la blague.

En voyant enfin l'image du cadre, les yeux d'Armand se sont emplis de larmes. Ma talentueuse sœur avait peint la façade de sa magnifique demeure dans la chaleur du crépuscule sur le lac Memphré-magog. Sur une petite plaque en or, ces mots étaient gravés : « Les récompenses du bon sens. »

– C'est merveilleux... Je suis très touché... Je l'adore... Ma femme va vouloir la suspendre au mur de la salle à dîner, c'est certain. Vous n'auriez pas dû, répétait Armand soudain très ému.

– C'est le moins que nous pouvions faire pour notre mentor financier, dis-je sincèrement. Nous te devons beaucoup.

– En fait, nous te devons notre bonne fortune, reprit Mathieu en souriant au riche barbier.

1° 100$ /sem.

2° i du vestir de les "fonds commun
       de placement"

   ii accumulation par
       achat périodique.

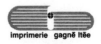

imprimerie gagné ltée

IMPRIMÉ AU CANADA